NUOVO

S. Magnelli
T. Marin

PROGETTO ITALIANO 2

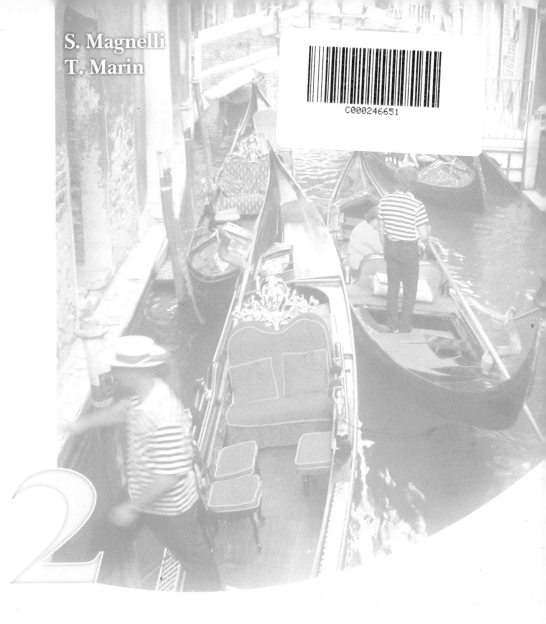

Corso multimediale
di lingua e civiltà italiana

livello intermedio
B1-B2 QUADRO EUROPEO
DI RIFERIMENTO

Quaderno degli esercizi

www.edilingua.it

S. Magnelli insegna Lingua e Letteratura italiana presso il Dipartimento di Italianistica dell'Università Aristotele di Salonicco. Dal 1979 si occupa dell'insegnamento dell'italiano come LS; ha collaborato con l'Istituto Italiano di Cultura di Salonicco, nei cui corsi ha insegnato fino al 1986. Da allora è responsabile della progettazione didattica di Istituti linguistici operanti nel campo dell'italiano LS. È autore dei Quaderni degli esercizi di *Progetto italiano 1, 2 e 3*.

T. Marin dopo una laurea in Italianistica ha conseguito il Master Itals (Didattica dell'italiano) presso l'Università Ca' Foscari di Venezia e ha maturato la sua esperienza didattica insegnando presso varie scuole d'italiano. È autore di diversi testi per l'insegnamento della lingua italiana: *Nuovo Progetto italiano 1, 2 e 3* (Libro dello studente), *La Prova orale 1 e 2, Primo Ascolto, Ascolto Medio, Ascolto Avanzato, l'Intermedio in tasca, Ascolto Autentico, Vocabolario Visuale* e *Vocabolario Visuale - Quaderno degli esercizi* e ha curato la collana *Video italiano*. Ha tenuto varie conferenze sulla didattica dell'italiano come lingua straniera e sono stati pubblicati numerosi suoi articoli.

Gli autori e l'editore sentono il bisogno di ringraziare i tanti colleghi che, con le loro preziose osservazioni, hanno contribuito al miglioramento di questa nuova edizione.
Un sincero ringraziamento, inoltre, va agli amici insegnanti che, visionando e provando il materiale in classe, ne hanno indicato la forma definitiva.
Infine, un pensiero particolare va ai redattori e ai grafici della casa editrice, senza i quali la realizzazione di questo libro non sarebbe stata possibile.

© Copyright edizioni Edilingua
Via Paolo Emilio, 28 00192 Roma

Via Moroianni, 65 12133 Atene
Tel. +30 210 57.33.900
Fax +30 210 57.58.903
www.edilingua.it
info@edilingua.it

II edizione: novembre 2007
ISBN: 978-960-6632-72-3
Redazione: A. Bidetti, L. Piccolo, M. Dominici
Foto: T. Marin
Impaginazione, illustrazioni: S. Scurlis (Edilingua)
Registrazioni: *Networks Srl*, Milano

Gli autori apprezzerebbero, da parte dei colleghi, eventuali suggerimenti, segnalazioni e commenti sull'opera (da inviare a redazione@edilingua.it)

Premessa

Incoraggiati dall'ottima accoglienza riservata all'edizione di *Nuovo Progetto italiano 1*, vi proponiamo *Nuovo Progetto italiano 2*, un libro più aggiornato e completo, frutto di una ponderata e accurata revisione, resa possibile grazie al prezioso feedback di tanti colleghi e colleghe che hanno usato il libro. In questa Nuova edizione si sono tenute presenti le esigenze nate dalle teorie più recenti e dalla realtà che il Quadro Comune Europeo di Riferimento per le Lingue e le certificazioni d'italiano hanno portato. Questo facendo tesoro di tutto ciò che gli approcci e i metodi precedenti hanno dato all'insegnamento delle lingue.

La lingua moderna, le situazioni comunicative arricchite di spontaneità e naturalezza, il sistematico lavoro sulle quattro abilità, la presentazione della realtà italiana attraverso testi mirati sulla cultura e la civiltà del nostro Belpaese, articoli tratti dai maggiori quotidiani e periodici italiani, il maggior utilizzo di materiale autentico, l'impaginazione moderna e accattivante fanno di *Nuovo Progetto italiano 2* uno strumento didattico equilibrato, efficiente e semplice nell'uso. Un manuale alleggerito nelle prime unità per rendere il passaggio dal livello elementare a quello intermedio più naturale, grazie anche ad attività di reimpiego che riprendono alcuni punti trattati in *Nuovo Progetto italiano 1*.

Noterete che l'intero *Libro dello studente* è un costante alternarsi di elementi comunicativi e grammaticali, allo scopo di rinnovare continuamente l'interesse della classe e il ritmo della lezione, attraverso attività brevi e motivanti. Riguardo alle attività e agli esercizi, si è scelto di privilegiare soprattutto le tipologie più usate nelle certificazioni per i livelli B1-B2 del Quadro Comune Europeo. Si è cercato, allo stesso tempo, di semplificare e "smitizzare" la grammatica, lasciando che sia l'allievo a scoprirla, per poi metterla in pratica nelle varie attività comunicative. Attività che lo mettono ancora di più al centro della lezione, protagonista di un "film" di cui noi insegnanti siamo registi. Ecco, *Nuovo Progetto italiano 2* potrebbe esser visto come il copione su cui basare il vostro "film"...

Il Quaderno degli esercizi

Alla luce degli interventi realizzati sul Libro dello studente, inevitabilmente si è revisionato e aggiornato anche il Quaderno degli esercizi. Si è svolto un lavoro certosino sul lessico alla ricerca di una maggiore coerenza con il lessico del Libro dello studente, tenendo sempre ben presente i termini di maggiore frequenza, e non solo, del livello a cui si rivolge *Nuovo Progetto italiano 2*. Gli esercizi sono stati adeguati non solo alla nuova suddivisione per sezioni del Libro dello studente, e ai rimandi più mirati e specifici, ma anche ai cambiamenti apportati ai contenuti delle unità stesse. Come nel Libro dello studente, anche i brani audio nel Quaderno degli esercizi, registrati sempre da attori professionisti, sono più naturali, spontanei e meno lunghi. Oltre ai brani audio autentici, abbiamo anche delle interviste autentiche incentrate su alcuni argomenti delle unità.

I test finali, presenti al termine di ciascuna unità, sono stati riscritti *ex novo* in base a una tipologia comune a tutti. I test di ricapitolazione, presenti ogni tre unità, permettono agli allievi di confrontarsi e di misurarsi sui contenuti comunicativi e, soprattutto, grammaticali emersi nelle corrispondenti unità. I quattro test di progresso che chiudono il Quaderno degli esercizi vogliono rappresentare, attraverso attività che rispecchiano le tipologie più diffuse nelle principali certificazioni per i livelli B1 e B2, un valido aiuto per la preparazione agli esami di certificazione. Si consiglia il loro uso nella fase finale del percorso di apprendimento, cioè durante lo studio delle ultime unità didattiche.

Nella stesura del presente Quaderno ci si è sforzati di rendere semplici e piacevoli le esercitazioni attraverso anche l'uso di una lingua il più possibile vicina alla realtà e contestualizzata. Le illustrazioni sono state rinnovate con foto nuove, più naturali e con simpatici disegni; allo stesso tempo una grafica più moderna, ma più chiara, ne facilita la consultazione.

Buon lavoro!

Gli autori

1   **Completate secondo il modello.**

Antonio, mi porti la borsa?
Certo! Te la porto subito.

1. Massimo, per favore, mi presti il tuo motorino?
   .... presterei, ma l'ha preso mio fratello.
2. Mamma, per piacere, mi daresti la tua sciarpa?
   .... do se farai attenzione.
3. Gianni, mi puoi portare i tuoi appunti?
   .... porterei, ma li ho già dati a Marco.
4. Carlo, mi offriresti un caffè?
   Entra! .... offro volentieri.
5. Roberto, mi presti la tua macchina?
   .... presterei volentieri, ma ha la batteria scarica.
6. Angela, per favore, mi compri *la Repubblica* e il *Corriere della Sera*?
   .... compro volentieri, vado proprio all'edicola.

2   **Come il precedente.**

1. Signorina, ci potrebbe prestare questi vecchi dischi di Lucio Battisti?
   .... presto, ma non sono in buone condizioni.
2. Dino, quando ci farai vedere le ultime fotografie?
   .... farò vedere appena le avrò pronte.
3. Papà, mi presteresti la tua cravatta blu?
   .... presterò, ma solo per questa volta!
4. È vero che i Milani vi hanno regalato un bellissimo vaso cinese?
   Sì, è vero! .... hanno regalato per il nostro anniversario.
5. Mauro, perché ci chiedi dov'è il tuo motorino?
   .... chiedo perché lo avevate voi dieci minuti fa!
6. Ma chi vi darà tutti questi soldi?
   .... darà il padre di Aldo.

Lucio Battisti

3   **Completate le frasi con i pronomi combinati, secondo il modello.**

Quando avrò finito di leggere il libro .... restituirò subito.
Quando avrò finito di leggere il libro te lo restituirò subito.

1. Se vuoi questa rivista, ... compro volentieri.
2. Se vuoi queste riviste, ... compro volentieri.
3. Se Paolo vuole questo libro, ... porto io.
4. Se Anna vuole questi giornali, ... porto io.
5. Ti ricordi il libro che ti ho prestato? Quando .... restituisci?
6. Ti ricordi i libri che ti ho prestato? Quando .... restituisci?

4   **Come il precedente.**

1. Se i bambini vogliono quel giocattolo, ... compro io.
2. Se le tue figlie vogliono quei giocattoli, ... compro io.
3. Se volete conoscere quella ragazza, ... presento volentieri.
4. Se volete conoscere quelle ragazze, ... presento volentieri.
5. Papà, ci servirebbe la tua macchina: .... daresti per il weekend?
6. Papà, ci servirebbero 50 euro: .... daresti, per favore?

5   **Completate le frasi con i pronomi combinati.**

1. Ho ordinato una nuova macchina e .... consegneranno domani.
2. Ragazzi, sono arrivate le mie cugine dal paese e presto .... farò conoscere.
3. Signora, se desidera un succo di frutta, ... offro volentieri.
4. Ida, se vai a comprare il latte, ... prendi un litro di quello dietetico?
5. Quando verranno i tuoi genitori, ... farai conoscere?
6. Ragazzi, questo prodotto non è dei migliori e perciò non .... consiglio.
7. Carletto, non puoi mangiare tutti i cioccolatini: .... do solo due.
8. Dove troviamo due biglietti aerei per Londra? Non ti preoccupare, ... regalano i nostri genitori.

6   **Collegate tra loro le frasi inserendo il corretto pronome combinato.**

1. Ho finito il latte,
2. Se sei senza soldi
3. A Lucio hanno rubato la bicicletta:
4. Abbiamo già finito gli esercizi,
5. Se avete bisogno di fogli bianchi,
6. Se vogliono gli appunti,

ve ne	diamo noi alcuni.
gliene	presto io una parte.
ce ne	compri un litro?
te ne	regaliamo una noi?
me ne	dai degli altri?
gliene	do io un po'.

7   **Trasformate le frasi secondo il modello.**

> Se desideri quel disco, (*potere regalare*) io per il tuo onomastico.
> *Se desideri quel disco, posso regalartelo io per il tuo onomastico.*
> *Se desideri quel disco, te lo posso regalare io per il tuo onomastico.*

1. I documenti che mi hai chiesto (*potere mandare*) solo la prossima settimana.

   ....
   ....

2. Ho chiesto a Caterina il numero di telefono di Piero, ma non (*volere dare*).

   ....
   ....

3. Ti presto volentieri i miei cd, ma (*dovere restituire*) fra una settimana.

....

....

4. Se non conosci i fatti, (*potere raccontare*) io.

....

....

5. Ho bisogno di un buon caffè: signorina, (*potere preparare*) uno?

....

....

6. Se non conoscete il problema, (*potere parlare*) noi.

....

....

8 **Completate i mini dialoghi con le espressioni viste a pagina 13 del *Libro dello studente*.**

1. *Gianni:* ...., ma non ho fatto in tempo a passare dalla lavanderia!
   Tonia: ...., andrò io a ritirare il vestito nel pomeriggio.

2. *Impiegato:* ...., ma non posso rimanere, devo proprio andare via!
   Direttore: ...., chiederò alla signorina Renata di sostituirLa.

3. *Franco:* ...., ma non avevo nessuna intenzione di offenderti!
   Renato: ....; per fortuna, eravamo fra amici!

4. *moglie:* .... tanto, ma non posso capire il tuo atteggiamento!
   marito: ...., non ho bisogno della tua comprensione!

9 **Completate secondo il modello.**

Chi ti ha comprato tutte queste camicie?
Me le ha comprate mia moglie.

1. Chi ti ha presentato Margherita?
   .... Giorgio.
2. Chi ti ha prestato il libro?
   .... Valeria.
3. Chi ti ha consigliato questa medicina?
   .... il farmacista.
4. Chi ti ha regalato questo romanzo?
   .... Giancarlo.
5. Chi ti ha dato questi cd?
   .... mio cugino.
6. Chi ti ha fatto queste belle fotografie?
   .... Angela.

7. Chi ti ha dato il permesso di uscire?

.... il direttore.

8. Chi ti ha consigliato questo piatto?

.... il cameriere.

10 Rispondete alle domande.

1. Chi ti ha regalato questi orecchini?

.... mio marito per il mio compleanno.

2. Hai fatto vedere le nostre foto ai ragazzi?

No, ancora non .... vedere!

3. Chi ti ha detto che Francesco e Massimo sono partiti?

.... Anna Rita.

4. Il professore vi ha spiegato i pronomi?

No, non .... ancora.

5. Quando vi hanno consegnato la lettera?

.... una settimana fa.

6. Quanti esami ti hanno convalidato?

.... dodici.

11 Completate come da modello.

> Abbiamo ordinato una pizza ed il cameriere ha portato (*a noi*) (*la pizza*) dopo un'ora.
> *Abbiamo ordinato una pizza e il cameriere ce l'ha portata dopo un'ora.*

1. Valerio mi ha chiesto la bicicletta e io ho prestato (*a Valerio*) (*la bicicletta*).

Valerio mi ha chiesto la bicicletta e io ....

2. Avevamo bisogno di una casa e anche se Riccardo ne aveva una libera non ha affittato (*a noi*) (*la casa*).

Avevamo bisogno di una casa e anche se Riccardo ne aveva una libera non ....
....

3. Serena colleziona schede telefoniche e io ho mandato (*a Serena*) (*alcune schede telefoniche*).

Serena colleziona schede telefoniche e io .... alcune.

4. Appena ho saputo la notizia ho comunicato (*a voi*) (*la notizia*).

Appena ho saputo la notizia ....

5. Il direttore ha voluto sapere ciò che era successo e io ho spiegato (*al direttore*) (*l'accaduto*).

Il direttore ha voluto sapere ciò che era successo e io ....
....

6. Francesca cercava una macchina fotografica e noi abbiamo prestato (*a lei*) (*la macchina fotografica*).

Francesca cercava una macchina fotografica e noi ....

12 Rispondete alle domande.

1. Ho saputo che hai telefonato a Rita! Ma chi ti ha dato il suo numero di telefono?
   (*dare*) .... lei stessa, quando ci siamo visti alla festa.
2. Perché Carla e Paola non sono venute?
   Perché i loro genitori non (*permettere*) ....

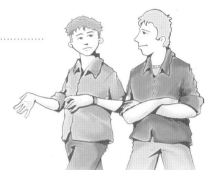

3. Chi Le ha raccontato questo fatto, signora?
   (*raccontare*) .... un'amica.
4. Cinzia sa che domani arriva Vittorio?
   Sì, lo sa, (*dire*) .... Luigi.
5. Verranno sicuramente tutti i tuoi amici?
   Sì, verranno tutti, (*promettere*) ....
6. È di Carlo quella bella macchina?
   No, (*prestare*) .... suo cugino.

13 Completate le risposte dandogli un carattere di sorpresa o incredulità.

1. Hai saputo che Attilio ha comprato una *Ferrari*?
   ....! Con il suo stipendio al massimo potrà permettersi una *Seicento*!
2. Mi ha telefonato Nicola e mi ha detto che si sposa fra una settimana.
   ....! Lui che era tanto contrario al matrimonio!
3. Sai che hanno arrestato Ilaria e Vanni?
   ....! Si tratta certamente di un errore!
4. Lo sai che vado per qualche giorno sulle Alpi?
   ....! Con questo tempo ti consiglio di andare al mare!
5. Hai saputo la novità? Hanno assunto Luciana come direttrice in un gran supermercato.
   ....! Questa sì che è una bella notizia!
6. Hai sentito che il padre di Antonio ha avuto un incidente?
   ....! Proprio lui, che è sempre così attento!
7. Lo sai che oggi le poste sono chiuse?
   ....! Come faccio a spedire questo pacco?
8. Caro Paolo, ti comunico che il direttore ci darà una settimana di ferie pagate!
   ....! Sarà sicuramente uno scherzo!

14 Completate con gli interrogativi.

1. .... stanno facendo i bambini?
2. .... vestito metterai per la festa di laurea di Ilaria?
3. Per .... sono queste bellissime rose rosse?
4. .... pensi di fare durante le vacanze?
5. .... ha chiamato?
6. Da .... hai appreso la notizia del matrimonio di Davide?

15 Come il precedente.

1. Oltre a Los Angeles, ... città visiterete in America?
2. .... colore, tra questi, preferisci?
3. .... Le posso offrire, signor Ballarin?
4. Per .... motivo ti dovrei credere?
5. .... ha preso i miei appunti?
6. Con .... pensate di partire, in treno o in aereo?

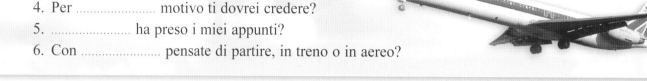

16 Completate le domande con gli interrogativi.

1. Di solito, ... ore studi al giorno?
2. .... non hai portato anche tua sorella?
3. .... esami ti restano per la laurea?
4. Da .... tempo studi l'italiano?
5. .... hai deciso di cambiare mestiere, il mese scorso?
6. Sai .... gente c'era alla festa?

17 Come il precedente.

1. Da .... importano questa frutta?
2. .... non cambi casa e vieni a vivere in centro?
3. .... chilometri dista Firenze da Bologna?
4. .... durerà ancora questa storia?
5. .... non dici come stanno veramente le cose?
6. .... strada ci rimane da fare?

18 Inserite gli interrogativi dati nelle frasi.

1. .... possiamo trovare un ristorante carino e a buon mercato?
2. .... vai in palestra, oggi o domani?
3. Secondo te, ... anni ha Silvia?
4. .... non cerchi di capire la situazione?
5. .... ragazze lavorano nella tua fabbrica?
6. .... arriverete a Milano?

quante
perché
quando
quando
quanti
dove

19 Completate con le preposizioni.

1. Se tu non ne hai voglia, vuol dire che andrò .... solo a mangiare .... ristorante.
2. Non riesco .... immaginare il tipo .... vita che conduce adesso che è diventato milionario!

3. Lisa ha una bellissima casa............... periferia, ... mezzo .... verde.

4. Milano Fiori si trova .... pochi chilometri .... Milano; è un centro residenziale molto .... moda.

5. Invece .... lavorare, ... questo momento vorrei essere .... mare insieme .... mia famiglia.

6. Se non la smetti .... ridere, mi offendo .... serio!

20 Scrivete i verbi che derivano dai seguenti aggettivi e formulate una frase con ciascuno di essi.

1. aiuto   ....
2. amore   ....
3. promessa   ....
4. pronuncia   ....
5. studio   ....
6. risposta   ....

21 Abbinate la professione con il verbo.

1. professore   a. progettare
2. autista   b. cantare
3. cantante   c. studiare
4. cameriere   d. servire
5. studente   e. guidare
6. architetto   f. insegnare

22 Ascolto

Ascoltate l'intervista ad un sociologo sull'abbandono scolastico e indicate l'affermazione giusta tra quelle proposte.

1. La dispersione scolastica è un fenomeno che riguarda soprattutto:
   - a. gli adolescenti
   - b. le ragazze
   - c. i bambini con genitori separati

2. Uno dei problemi alla base del fenomeno è:
   - a. la mancanza di comunicazione in famiglia
   - b. la televisione poco educativa
   - c. la scuola che annoia gli studenti

3. Secondo il sociologo i giovani di oggi hanno:
   - a. meno problemi di un tempo
   - b. troppe informazioni dai media
   - c. professori che li aiutano molto

4. La scuola, gli insegnanti dovrebbero: a. considerare solo il rendimento dello studente

   b. far lavorare di più gli studenti in classe

   c. capire il disagio dello studente adolescente

TEST FINALE

A   Completate il dialogo con i pronomi combinati e la desinenza giusta del participio.

- Ciao Carla!

- Ciao Lucia!

- Che bella collana! È un regalo?

- Sì, ... regalat... Sergio per il nostro primo anniversario.

- Ah già, era il vostro anniversario! E tu, cosa gli hai regalat...?

- Avevo visto un orologio fantastico in un negozio in centro e .... regalat...

- Brava!

- Sì, ma sapevo che a lui piaceva: .... aveva dett... tante volte. E voi, avete idea di cosa regalarvi per il vostro anniversario?

- Non puoi immaginare cosa è successo! Il regalo più bello .... fatt... i miei genitori: ci hanno comprato due biglietti per una crociera nel Mediterraneo!

- Davvero? Magnifico! .... ho sempre dett... che hai due genitori meravigliosi!

B   Formulate le giuste domande a queste risposte:

1. ....? Giorgio si occupa di finanza.
2. ....? È un tipo simpatico e vivace.
3. ....? Oggi è venerdì 22.
4. ....? Gioco a tennis con Enzo.
5. ....? Stasera vorrei andare al cinema.
6. ....? Sì, c'era un sacco di gente!

C   Scegliete la risposta corretta.

1.   - (1)........................ che stasera facciamo una cena a casa mia? La solita compagnia.

     - No, non (2)........................ . A che ora?

   (1)   a) Te l'ho detto   (2)   a) ce lo dici

           b) Gliel'ho detto   b) me l'avevi detto

           c) Te l'hanno detto   c) te l'abbiamo detto

2.   - Signora, (1).............................. io questa valigia così pesante!?

      - Sì, grazie. Veramente... ne avrei un'altra. (2)..............................

   (1)   a) te la porto   (2)   a) Gliele potrei dare?

          b) gliela porto   b) Posso darla?

          c) me la porto   c) Gliela posso dare?

3.   Sono certo che Alessandra (1).............................. i soldi se tu (2).............................. in modo più cortese e convincente.

   (1)   a) ce li avrebbe prestati   (2)   a) gliel'avessi chiesto

          b) ve le avrebbe prestate   b) glielo avessi chiesti

          c) ce l'avrebbe prestati   c) gliel'avessi chiesti

4.   A: Amore, nel pomeriggio andiamo a vedere il nostro nuovo appartamento.

      B: No! (1).............................. Sei sicuro?

      A: Eh sì, è arrivato il momento.

      B: (2).............................. Finalmente avremo una casa tutta nostra!

   (1)   a) Non ci credere!   (2)   a) Chi l'avrebbe mai detto?!

          b) Quando?   b) Allora?

          c) Non è possibile!?   c) Scherzi?! Quale?

5.   - (1).............................. vuoi andare a vedere l'ultimo film con Brad Pitt?

      - Ah, anche oggi pomeriggio! Non sai da (2).............................. tempo lo aspetto!

   (1)   a) Che cosa   (2)   a) quale

          b) Quando   b) che

          c) Chi   c) quanto

6.   Luigi è al secondo anno (1).............................. di Medicina, dovrebbe (2).............................. l'anno prossimo.

   (1)   a) fuori causa   (2)   a) diplomarsi

          b) fuori concorso   b) laurearsi

          c) fuori corso   c) specializzarsi

D   Leggete le definizioni e risolvete il cruciverba.

ORIZZONTALI:
3. Si danno all'università.
7. In questo momento.
8. Sogno spaventoso.
9. La scuola ... è frequentata dai bambini tra i 6 e gli 11 anni.

VERTICALI:
1. Una parola di undici lettere per esprimere incredulità.
2. Come mai?
4. Chi vuole diventarlo, deve prima di tutto laurearsi in Giurisprudenza.
5. Vi mangiano molti studenti universitari.
6. Architettura, Giurisprudenza, Medicina: sono delle ... universitarie.

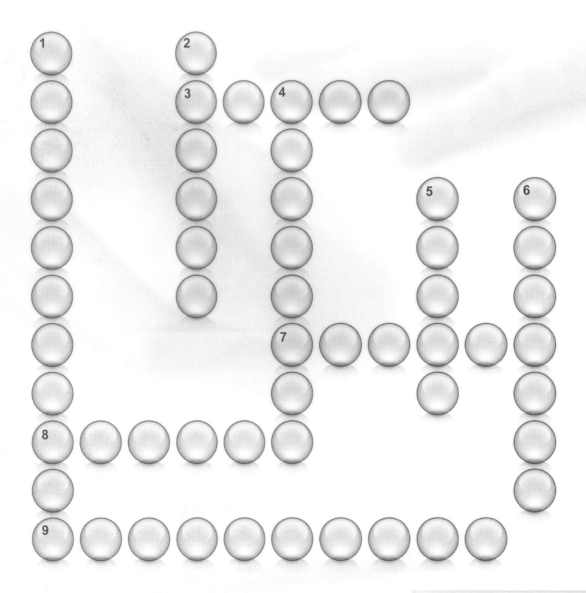

Risposte giuste: /38

1   Completate con i pronomi relativi, come da modello.

> Cinzia è una ragazza .... ama molto stare a casa.
> *Cinzia è una ragazza che (la quale) ama molto stare a casa.*

1. Il medico .... ha operato mio padre insegna anche all'università.
2. Gli studenti stranieri .... frequentano il liceo scientifico *Galileo Galilei* sono più del 30%.
3. Al mondo esistono persone .... non hanno nessun tipo di problema?
4. Le persone .... vogliono parlare al cellulare devono uscire dall'aula.
5. Il fidanzato di Sonia, ... abita a Milano, arriverà a Roma col treno delle 10.
6. Il professore .... segue la mia tesi è uno storico molto famoso.
7. Non sopporto le persone .... parlano male degli altri.
8. Verranno anche gli amici .... abitano con Rosa.

2   Rispondete alle domande come da modello.

> Conosci Valeria?   (*frequenta il mio corso*)
> *Sì, è una ragazza che frequenta il mio corso.*

1. Conosci Bruno?   (*scrive sul giornale cittadino*)
   Sì, è ....

2. Conosci Ambra e Lelia?   (*frequentano la mia stessa facoltà, Psicologia*)
   Sì, sono ....

3. Conosci Lidia?   (*lavora alla Fiat*)
   Sì, è ....

4. Conosci Massimo e Gianna? (*abitano nell'appartamento accanto al mio*)
   Sì, sono ....

5. Conosci Silvia e Tonino? (*si vestono in modo strano*)
   Sì, sono ....
   ....

6. Conosci Francesco e Corrado?
   (*incontro ogni mattina alla fermata dell'autobus*)
   Sì, sono ....
   ....

3 Trasformate le frasi come da modello.

> Ho conosciuto un avvocato – questo avvocato sa il fatto suo.
> *Ho conosciuto un avvocato che sa il fatto suo.*

1. Gianni osservava dalla finestra le macchine – le macchine passavano.

....

2. Parlerò del tuo caso a mia cugina – mia cugina penso ci potrà aiutare.

....

3. Valeria ha un fratello – il fratello è innamorato di una mia amica.

....

4. Avete preso il treno – il treno non va a Roma.

....

5. Remo è un ragazzo – Remo non prende mai le cose sul serio.

....

6. Alla fine ho comprato quell'anello – desideravo quell'anello da tanto.

....

4 Rispondete alle domande secondo il modello.

> Chi è Marcella?   (*Gianni esce con lei*)
> *È la ragazza con cui (con la quale) esce Gianni.*

1. Chi è Fabiana?   (*ho regalato a lei una torta*)

....

2. Chi è Cristiano?   (*ho perso la testa per lui*)

....

3. Chi sono Sergio e Matteo?   (*di loro parla spesso mio fratello*)

....

4. Chi è Sara?   (*ci fidiamo di lei*)

....

5. Chi è Antonio?   (*ho abitato da lui per un anno*)

....

6. Chi sono Federica e Monica? (*ho prestato a loro i miei appunti*)

....

5 Come il precedente.

> Chi sono Emma e Delia? (*parto con loro per le isole Tremiti*)
> *Sono le ragazze con cui parto per le isole Tremiti.*

1. Chi è Giovanna?   (*ho viaggiato con lei da Roma a Milano*)

....

2. Chi è Adriano?   (*ho dato a lui il mio biglietto della partita*)

....

3. Chi è Lorenzo?   (*è interessante parlare con lui*)

....

4. Chi sono Gioia e Ivano?   (*contiamo molto su loro*)

....

5. Chi è Antonella?   (*sono innamorato di lei*)

....

6. Chi sono Tiziana e Carlo?   (*esco ultimamente con loro*)

....

6 **Unite le frasi utilizzando i relativi, come da modello.**

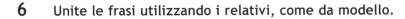

> Sono tornato da un'isola – l'isola si trova vicino alla Spagna.
> *L'isola da cui sono tornato si trova vicino alla Spagna.*

1. Siamo ritornati con l'aereo – l'aereo è dell'Alitalia.

....

2. Prendo lezioni da un professore – il professore abita vicino a casa mia.

....

3. Sono andato da un avvocato – l'avvocato è bravo ma caro!

....

4. Fulvio scrive per una rivista – la rivista è molto famosa.

....

5. Stai bevendo in un bicchiere – il bicchiere è sporco.

....

6. Ho dato delle informazioni ad un turista – il turista era americano.

....

7 **Come il precedente.**

1. Hai messo il libro sul tavolo – il tavolo è molto antico.

....

2. Il treno si è fermato mezz'ora in una città – la città è famosa per il suo prosciutto.

....

3. Walter esce con una ragazza – la ragazza si chiama Eugenia.

....

4. Parlavamo prima di un ragazzo – il ragazzo è arrivato da poco.

....

5. Mario telefona tutte le sere ad una ragazza – la ragazza si chiama Paola.

....

6. Vado sempre da una parrucchiera – la parrucchiera è molto brava.

....

8 **Completate le seguenti frasi con i pronomi relativi.**

1. La città .... vivo è abbastanza tranquilla.
2. La carta di credito .... volevamo pagare era scaduta.
3. I miei amici sono le persone .... maggiormente mi fido.
4. So quanto è difficile la situazione .... ti trovi.
5. Darei non so cosa per vederti felice con la persona .... ami.
6. Ce ne siamo andati proprio nel momento .... è arrivato Riccardo.
7. È meglio non aprirsi tanto con le persone .... non conosciamo.
8. Non posso veramente capire il motivo .... vuoi cambiare lavoro!

9 **Completate con i pronomi relativi.**

1. Le persone .... verranno a cena sono le stesse .... ho viaggiato in aereo.
2. Salvatore e Rosalia sono i cugini .... vivono in Sicilia e .... ho passato la mia gioventù.
3. Gli appunti .... cerchi sono sul tavolo .... si trova il vaso dei pesciolini rossi.
4. Vorrei andarmene in un'isola .... non abita nessuno!
5. La casa .... abitiamo è un meraviglioso appartamento .... abbiamo ereditato da mio nonno.
6. Ti prego, non mi parlare di vacanze .... bisogna spendere tanti soldi!

10 **Completate con i relativi.**

1. Il telefonino è un mezzo .... abbiamo bisogno.
2. Il parrucchiere .... vai è lo stesso .... andava mia sorella.
3. Grazie, hai trovato proprio le parole .... avevo bisogno!
4. Non mi piacciono gli amici .... esci in questo periodo!
5. La persona .... ho affidato il lavoro ha un'esperienza di oltre 20 anni.
6. Sapete chi è la persona .... state parlando così male? ... Mio fratello!

11 **Collegate le due frasi come da modello.**

> Amo un ragazzo – gli occhi del ragazzo sono verdi.
> *Amo un ragazzo, i cui occhi sono verdi.*

1. Sono andato in una banca – i dipendenti della banca facevano sciopero.
   ....

2. Uso una crema idratante – gli effetti della crema sono miracolosi.
   ....

3. Ivo e Daniel, – i genitori di Ivo e Daniel vivono a Rio de Janeiro, telefonano spesso in Brasile.

....

4. Ecco il professor Marini – le conferenze del professore Marini sono molto interessanti.

....

5. Ho visto un film – il regista di questo film non deve essere tanto conosciuto.

....

6. Leggo un romanzo – l'autore del romanzo è molto noto.

....

7. L'Inghilterra è un paese – le tradizioni dell'Inghilterra sono antichissime.

....

8. Ho comprato una macchina – il prezzo della macchina era veramente vantaggioso.

....

12   Completate con le parole date nel riquadro.

1. .... cerca trova.
2. Dimmi .... vai e ti dirò chi sei!
3. Non ricordo .... è stata questa bellissima idea!!
4. È una situazione difficile: non so .... credere!
5. Beato .... ti capisce!
6. Dopo quello che è successo non sappiamo più .... contare.
7. Ho chiesto, ma non mi ha voluto dire .... ha avuto l'informazione.
8. Stai attento .... scegli come amico!

su chi
chi
chi
a chi
da chi
di chi
con chi
a chi

13   Completate le frasi utilizzando le espressioni date alla rinfusa.

*colui che - coloro che - quello che - tutto quello che -
chi - il che - coloro che - colei che*

1. Ricordati sempre di .... ti hanno aiutato!
2. Non fidarti di .... non conosci bene.
3. Brunella oltre ad essere una bella ragazza ha anche una bella casa, ... non guasta!
4. Spesso .... non si accontentano di quello che hanno, non vivono una vita tranquilla.
5. Non puoi immaginare .... è successo dopo che te ne sei andato.
6. Alessandro non aveva fame e non ha toccato niente di .... avevo preparato.
7. .... alla fine dell'anno avrà i voti più alti, vincerà una borsa di studio.
8. Regaleranno un simpatico gadget a tutte le ragazze presenti e una crociera a .... vincerà il titolo di "Miss Estate".

14 Completate le seguenti frasi con le espressioni *stare + gerundio* o *stare per + infinito*.

1. (*Fare*) .... la doccia, per questo non ho sentito il telefono.
2. Sono molte le persone che vanno via da quel Paese: al telegiornale hanno detto che (*scoppiare*) .... una guerra civile.
3. Perché hai quella faccia, Stefania? A cosa (*pensare*) ....?
4. (*Uscire*) ...., per questo non ho risposto al telefono.
5. (*Sposare*) .... un uomo orribile! Per fortuna l'ho capito in tempo!
6. - Giulia, cosa fai? Usciamo? - No, grazie! (*Leggere*) .... un bellissimo libro di Dacia Maraini e lo voglio finire prima di stasera.

15 Completate con le preposizioni.

1. Gli italiani, generalmente, vanno .... vacanza .... agosto.
2. .... il suo compleanno regalerò .... mia figlia un anello .... oro.
3. È .... un anno che ho cominciato .... studiare l'italiano, ma già posso capire abbastanza.
4. Mi sono sposata .... 18 anni e ho due figlie, una .... 15 ed un'altra .... 19 anni.
5. Quello che ti ho detto deve assolutamente rimanere .... noi, mi devi promettere che non dirai niente .... nessuno!
6. Non ti preoccupare, sarò sotto casa tua prima .... otto, ma se per caso farò tardi, aspettami .... fermata .... 15.
7. Sono rimasto .... ufficio tutta la giornata e adesso non vedo l'ora .... tornare .... casa.
8. Credi più .... me o .... quello che dicono i tuoi amici?

16 Completate le seguenti frasi scegliendo la parola opportuna tra le quattro proposte.

1. Non ho capito bene cosa ha detto .... c'era molto rumore.

     ▢ perciò   ▢ quando   ▢ siccome   ▢ perché

2. Nessuno voleva prestargli gli appunti, ... glieli ho prestati io.

     ▢ così   ▢ perché   ▢ finché   ▢ nonostante

3. Non avevo studiato molto .... ho preferito non dare l'esame.

     ▢ oppure   ▢ ma   ▢ perciò   ▢ nonostante

4. Vengo a studiare da te .... preferisci venire a casa mia?

    ☐ ma   ☐ allora   ☐ o   ☐ quindi

5. Vorrei proprio sapere .... trova il tempo di fare tutto!

    ☐ anzi   ☐ allora   ☐ fino a   ☐ dove

6. Ha sempre avuto tutto dalla vita, ... non è mai soddisfatto!

    ☐ quindi   ☐ però   ☐ perché   ☐ così

17   Completate le frasi con i sostantivi corrispondenti agli aggettivi dati tra parentesi.

1. Non ho avuto nessuna .... a trovare la strada per casa tua. (*difficile*)
2. Durante il viaggio in treno per vincere la .... ho letto e ho dormito
   un po'. (*noioso*)
3. Per una volta che ha detto la ...., nessuno gli ha creduto! (*vero*)
4. In autostrada c'è sempre un limite di .... (*veloce*)
5. Come si dice in questi casi: tanto .... per niente! (*rumoroso*)
6. La .... di Venezia è famosa in tutto il mondo. (*bello*)

18   Inserite l'aggettivo corretto, e il suo contrario, in ogni frase. Attenzione: ci sono 2
aggettivi in più!

> *disoccupato - sconosciuto - forte - lenta - difficile - occupato*
> *veloce - facile - alto - chiusa - debole - conosciuto - aperta - basso*

1. Un giocatore di pallacanestro è ....
2. Un esame che richiede molto studio è ....
3. Laura conosce poche persone, è una ragazza ....
4. Un giovane che è senza lavoro è ....
5. Giorgio Armani è uno stilista ....
6. Una macchina che va a 200 Km all'ora è ....

19 Completate, con le parole date nella pagina accanto, la lettera che Federico Blasi ha inviato alla *Starcom Italia*, un'azienda di telecomunicazioni che cerca un nuovo direttore del
personale.

Federico Blasi
Via G. Bruno, 156 - Milano

Uff. Personale
STARCOM ITALIA
Via Calatafimi, 341 - Milano

Milano, 12 settembre

In riferimento al vostro annuncio apparso in "Cercolavoro" del 9 settembre scorso, invio
alla vostra cortese (1)........................ il mio C.V.

Come potrete vedere, sono in possesso di molti dei requisiti da Voi (2)........................:
mi sono laureato in Economia e Commercio a pieni voti presso la Normale di Pisa e ho
conseguito un master (3)........................ Management presso l'Università Bocconi di
Milano. Precedentemente, ho ottenuto una (4)........................ di studio alla Princeton
University, negli Stati Uniti, dove ho (5)........................ circa un anno. Questa importante esperienza mi ha dato anche l'opportunità di perfezionare la mia (6)........................ del-
l'inglese, che ha ora raggiunto ottimi livelli.

Le mie competenze (7)........................ comprendono i più diffusi sistemi operativi e alcuni tra i più importanti software di scrittura e di grafica.

Non ho, è vero, una grande esperienza (8)........................: il mio primo impiego l'ho avuto due anni fa, come Responsabile Relazioni Estere, (9)........................ la *Sofydata* di
Milano, un'azienda che si occupa (10)........................ elettronica, dove tuttora lavoro. Si
tratta però di un'azienda che non offre molte prospettive e serie possibilità di carriera.

Questa è la ragione principale (11)........................ cui ho deciso di rispondere al vostro
annuncio: la mia ambizione infatti è ricoprire un posto di responsabilità all'interno di una
struttura lavorativa (12)........................ e di grandi dimensioni come la *Starcom Italia*,
(13)........................ cui poter dimostrare la mia professionalità e metterla a disposizione
dell'azienda.

In attesa di un vostro gentile riscontro, porgo i miei più (14)........................ saluti.

Federico Blasi

1.	a. attenzione	b. fiducia	c. gentilezza
2.	a. domandati	b. voluti	c. richiesti
3.	a. con	b. per	c. in
4.	a. valigia	b. borsa	c. corsa
5.	a. trascorso	b. letto	c. collaborato
6.	a. cultura	b. conversazione	c. conoscenza
7.	a. informative	b. informatiche	c. informali
8.	a. professionista	b. teorica	c. lavorativa
9.	a. da	b. presso	c. in
10.	a. di	b. con	c. da
11.	a. a	b. con	c. per
12.	a. azienda	b. importante	c. locale
13.	a. da	b. in	c. con
14.	a. cordiali	b. buoni	c. gentili

20 Ascolto

Leggete le affermazioni che seguono e dopo ascoltate l'intervista a un impiegato di di banca. Indicate le cinque informazioni presenti.

1. La persona intervistata è il vicedirettore della banca.

2. Il sito web della banca fornisce informazioni in quattro lingue.

3. Prima di firmare un contratto è sempre bene leggere le condizioni.

4. La banca offre molti servizi di diverso genere.

5. Tra i servizi, sono incluse operazioni di borsa.

6. I clienti non amano molto usare i servizi online della banca.

7. Esistono carte di credito prepagate.

8. La banca offre servizi specifici per studenti stranieri.

TEST FINALE

A   Completate il testo con i pronomi relativi.

Mauro e i "mammoni" italiani

Questa è la storia di Mauro, un ragazzo (1)........................... cerca un lavoro sicuro da anni, come molti altri giovani italiani della sua età. Mauro ha 34 anni, (2)........................... 10 passati a fare lavori precari, cioè non stabili, e senza contratto, brevi stage, collaborazioni di pochi mesi (3)........................... prospettive erano poche e molto limitate. Naturalmente, il lavoro (4)........................... lui preferirebbe fare è l'architetto, professione (5)........................... .... ha studiato molto e (6)........................... vorrebbe dedicarsi a tempo pieno, ma purtroppo è un campo (7)........................... è difficile entrare, soprattutto per (8)..........................., come Mauro, è ancora considerato "giovane".

Un altro problema dell'Italia, infatti, è che sono considerati "giovani" tutti (9)........................... .... hanno fino a 30-35 anni, con il risultato che in Italia molti 35enni vivono ancora con i genitori, condizione (10)...........................si trovano spesso anche per necessità, visto che uno dei motivi (11)........................... non possono andare a vivere da soli è proprio la mancanza di un lavoro fisso per pagare l'affitto. È per questo che in Europa gli italiani sono famosi per essere "mammoni", cioè ragazzi (12)........................... vivono ancora sotto la "protezione" della mamma.

B   Completate le frasi con i relativi dati.

> *chi - il che - colui che - quelli che - coloro che - chi - chi*

1. Chi cerca, trova. .... è quasi sempre vero.
2. .... fa per sé, fa per tre.
3. .... trova un amico, trova un tesoro.
4. Beati .... non pensano troppo, perché sono sempre felici.
5. L'ignorante non è .... non studia, ma .... non vuole capire.
6. Sono sempre .... amano troppo a soffrire di più!

C   Scegliete la risposta corretta.

1.   - Ho comprato un vestito nuovo (1)............................ desideravo da tempo.
       - Non capisco il motivo (2)............................ continui a spendere metà del tuo stipendio in vestiti.

       (1)   a) la quale   (2)   a) per il quale
               b) cui   b) su cui
               c) che   c) che

2.   - "(1)............................ dorme non piglia pesci", lo sai?!
       - Sì, ma la cosa (2)............................ ho più bisogno adesso è dormire!

       (1)   a) Chi   (2)   a) con cui
               b) Colui   b) il che
               c) Su cui   c) di cui

3.   "Gianni si è comportato male con me: (1)............................ non mi sembra giusto", diceva Mario
       a (2)............................ gli chiedevano spiegazioni sul suo comportamento.

       (1)   a) il che   (2)   a) chi
               b) il cui   b) tutti coloro che
               c) di cui   c) i cui

4.   (1) .... Signor Carletti.
       (2) Le porgiamo .... saluti.

       (1)   a) Egregio   (2)   a) Cordialmente
               b) Spettabile   b) Distinti
               c) Cordiale   c) Tanti

5.   La (1)............................ è la più grande industria automobilistica italiana e la sua sede centrale è a
       (2)............................ .

       (1)   a) Generali   (2)   a) Maranello
               b) Fiat   b) Milano
               c) Telecom Italia   c) Torino

6.   Il (1)............................ di questa lettera commerciale è il nostro (2)............................ di Siena.

       (1)   a) destinatario   (2)   a) edificio
               b) destinato   b) sportello
               c) destino   c) ufficio

D Leggete le definizioni e risolvete il cruciverba.

ORIZZONTALI:
1. Chi desidera fortemente avere successo, potere e denaro.
4. Veicolo a due ruote, con motore e capace di raggiungere alte velocità.
7. Società di grandi dimensioni e di notevole importanza.

VERTICALI:
1. Grande strada extraurbana a pagamento, riservata al traffico veloce e vietata ai pedoni.
2. Tutto il settore relativo alla produzione, alla distribuzione e al consumo di beni e servizi di un paese.
3. Insegnante donna delle scuole elementari.
5. Interpretazione sbagliata delle parole o del comportamento altrui.
6. Chi trova un amico, trova un...

Risposte giuste: /38

1 Completate le seguenti frasi con il verbo *farcela* o *andarsene*.

1. Mamma, papà... finalmente ....: ho avuto quel posto di lavoro!
2. Se non ...., ti posso dare una mano.
3. Perché ieri sera Claudia .... senza salutare nessuno?
4. L'esame non è così difficile, sono sicuro che puoi ....!
5. Verremo sicuramente, ma .... presto.
6. Se quei ragazzi non .... subito, chiamo la polizia!

2 Formulate delle frasi secondo il modello.

> Carlo - alto - Angelo
> (+) *Carlo è più alto di Angelo.*
> (–) *Carlo è meno alto di Angelo.*
> (=) *Carlo è (tanto) alto quanto Angelo.*

1. Questo quadro - bello - quello
   (+) ....
   (=) ....

2. Marcella - simpatica - Monica
   (+) ....
   (–) ....

3. L'italiano - difficile - tedesco
   (–) ....
   (=) ....

4. Luigi - lavora - Stefano
   (=) ....
   (+) ....

5. I figli di Marco - educati - figli di Piero
   (–) ....
   (+) ....

6. La mia macchina - veloce - tua

(=) ....

(−) ....

3 Completate con delle comparazioni secondo il modello.

> Il vestito costa 100 euro, la gonna costa 50 euro. (*caro*)
> *Il vestito è più caro della gonna.*
> *La gonna è meno cara del vestito.*
>
> Il vestito costa 100 euro, la gonna costa 100 euro.
> *Il vestito è caro quanto la gonna.*

1. La mia valigia pesa 18 chili, la tua 8. (*pesante*)
   La mia valigia ....
   La tua valigia ....

   La mia valigia pesa 18 chili, anche la tua pesa 18.
   La mia valigia ....

2. Gianni ha sessantacinque anni, Claudio ne ha sessantatré. (*anziano*)
   Gianni ....
   Claudio ....

   Gianni ha sessantacinque anni, anche Claudio ne ha sessantacinque.
   Gianni ....

3. La mia casa ha 5 camere più servizi, la tua ha 3 camere più servizi. (*grande*)
   La mia casa ....
   La tua casa ....

   La mia casa ha 5 camere più servizi, anche la tua ha 5 camere più servizi.
   La mia casa ....

4. Roberto ha vinto al lotto 20.000 euro, Franco ne ha vinti 1.000. (*fortunato*)
   Roberto ....
   Franco ....

   Roberto ha vinto al lotto 1.000 euro, lo stesso anche Franco.
   Roberto ....

5. Quando vado al cinema mi annoio, quando vado in discoteca raramente. (*noioso*)

Il cinema ....

La discoteca ....

Quando vado al cinema mi annoio, quando vado in discoteca anche.

Il cinema ....

6. Eros Ramazzotti vende molto all'estero, Amedeo Minghi non tanto. (*conosciuto*)

Eros Ramazzotti ....

Amedeo Minghi ....

Eros Ramazzotti vende molto all'estero, anche Riccardo Coccian-
te vende bene.

Eros Ramazzotti ....

4 **Dalle seguenti affermazioni deducete delle comparazioni, come nel modello dato.**

> Mario studia tre ore al giorno, Tonino cinque.
> *Mario studia meno di Tonino.*

1. In Italia la *Fiat* vende 130.000 macchine all'anno, la *Renault* 18.000.
   In Italia la *Fiat* vende ....

2. I calciatori guadagnano tanto, anche i giocatori di pallacanestro guadagnano tanto.
   I calciatori guadagnano ....

3. Renato ha visitato molti paesi, Livio pochi.
   Livio ha viaggiato ....

4. Lo stipendio di Alfredo è di 2.000 euro, quello di Franco non arriva a 1.500.
   Alfredo guadagna ....

5. Angela ha lavorato tutto il giorno, Roberta ha lavorato soltanto la mattina.
   Roberta ha lavorato ....

6. Silvia ha mangiato il primo, il secondo e il dolce; Luciana solo il secondo.
   Luciana ha mangiato ....

5 Formulate delle comparazioni scegliendo l'aggettivo giusto per ogni frase.

> *nutriente - prezioso - grande - veloce - lungo - piccolo*

1. Miele - zucchero
   Il miele è ....
2. Roma - Firenze
   Roma è ....
3. Argento - oro
   L'argento è ....
4. *Ferrari - Alfa Romeo*
   Una Ferrari è ....
5. Gatto - cavallo
   Il gatto è ....
6. Campo di calcio - campo da tennis
   Un campo di calcio è ....

6 Completate i mini dialoghi con le giuste forme di comparazione.

1. - Secondo me, domenica vincerà il Milan!
   - Ma non dire stupidaggini; quest'anno la Juventus è .... forte .... Milan.
   - Secondo me, la Juventus è .... fortunata .... forte.

2. - Patrizia è veramente una ragazza timida!
   - È vero, ma dovresti conoscere la sorella: è ancora .... timida .... lei.
   - Sì, l'ho conosciuta, ma la trovo .... riservata .... timida.

3. - Ti piace il mio nuovo stereo?
   - Sì, mi sembra decisamente .... bello .... quello che avevi prima!
   - Beh, quello di prima lo tenevo .... per ricordo .... per ascoltare musica.

4. - Perché viaggi in treno e non in aereo?
   - L'aereo sarà anche .... veloce .... treno, ma io ho paura.
   - Allora usa la macchina!
   - No, perché è .... comoda .... treno.

5. - Come va il tuo negozio di scarpe? Avete venduto molto?
   - Sì, quest'anno abbiamo venduto molte .... scarpe .... anno scorso.
   In particolare vendiamo .... scarpe da donna .... da uomo.

6. - Non so se Giacomo è più presuntuoso o più maleducato!

   - Secondo me è .... presuntuoso .... maleducato.

   - Tutto il contrario del fratello Riccardo!

   - Sì, è vero: Riccardo è molto .... simpatico .... Giacomo.

7   **Completate secondo il modello.**

> Scrivi molte e-mail ai tuoi amici?
> Mi piace *più* telefonare *che* scrivere.

1. Rita preferisce leggere o guardare la televisione?

   Rita lavora tanto, perciò la sera ha voglia .... di guardare la televisione .... di leggere.

2. Andiamo in macchina o in metrò?

   Con questo traffico, andare in metrò è .... comodo .... andare in macchina.

3. Che bella torta! È buona?

   Mah, secondo me questa torta è .... bella .... buona.

4. Dove fa più freddo, al sud o al nord?

   Al sud fa .... freddo .... al nord.

5. Sei ottimista o pessimista?

   In generale, sono .... ottimista .... pessimista.

6. Bevi più caffè o tè?

   Quando lavoro, bevo .... caffè .... tè.

8   **Completate le seguenti frasi.**

1. I Grandi sono ricchi o benestanti?

   I signori Grandi .... ricchi sono benestanti.

2. Oggi è facile trovare un lavoro?

   Veramente, oggi è .... difficile trovare un buon lavoro .... in passato.

3. Come mai vai tanto spesso a teatro?

   Il teatro mi affascina e perciò .... andare al cinema mi piace andare a teatro.

4. Perché non vai allo stadio?

   Non sono un vero tifoso: .... andare allo stadio preferisco vedere la partita alla TV.

5. Ti piace spendere o risparmiare?

   Purtroppo, spendere è .... facile .... risparmiare.

6. D'estate non deve essere piacevole rimanere in città.

   D'estate andare al mare è sicuramente .... piacevole .... restare in città.

9 **Come il precedente.**

1. Cristina studia l'inglese? Non l'avrei mai detto!
   Sai, imparare una lingua straniera è ormai .... una necessità .... una scelta.
2. Paola non scende mai a piedi.
   Chi abita al quarto piano .... scendere le scale a piedi prende l'ascensore.
3. Ultimamente Tonia esce spesso.
   Tonia è una ragazzina e naturalmente .... studiare le piace uscire.
4. Rosario non mangia mai fuori.
   Con il suo stipendio, mangiare a casa .... una scelta è una necessità.
5. Alessandro non mi ha salutato, forse non mi ha visto. È sempre così distratto...
   Secondo me, ... distratto è maleducato.
6. Alla festa del matrimonio di Margherita mi sono annoiato molto.
   Per forza: c'erano .... anziani .... giovani.

10 **Rispondete liberamente alle domande.**

1. Per te è più tranquilla la periferia o il centro della città?
   Per me è ....
2. Secondo te, Nicola è simpatico o affascinante?
   Secondo me, Nicola è ....
3. Costa di più l'argento o l'oro?
   L'argento costa ....
4. Andrai in vacanza in Tunisia o in Spagna?
   È difficile decidere perché mi affascina ....
5. Milano è grande come Genova?
   Sicuramente Genova è ....
6. Tu mangi più verdura o più carne?
   Io mangio ....

11 **Trasformate come da modello.**

> Delle scarpe belle - comode.
> Delle scarpe *tanto* belle *quanto* comode.
> Delle scarpe *più* belle *che* comode.

1. Un ragazzo furbo - intelligente.
   Un ragazzo ....
   Un ragazzo ....
2. Un film interessante - violento.
   Un film ....
   Un film ....

3. Uno spettacolo lungo - piacevole.
   Uno spettacolo ....
   Uno spettacolo ....
4. Una gita inutile - stancante.
   Una gita ....
   Una gita ....
5. Una signora elegante - affascinante.
   Una signora ....
   Una signora ....
6. Una moto veloce - rumorosa.
   Una moto ....
   Una moto ....

12 **Completate come da modello.**

> Carlo/romantico/miei amici.
> *Carlo è il più romantico dei miei amici.*

1. Questa qui/importante trasmissione/RAI.
   Questa qui è ....
2. Quest'anno la Roma/forte squadra/Campionato italiano.
   Quest'anno la Roma è ....
3. Febbraio/mese/corto/anno.
   Febbraio è ....
4. L'estate/stagione/calda/anno.
   L'estate è ....
5. Il diamante/preziosa/pietre.
   Il diamante è ....
6. Marta/piccola/mie nipotine.
   Marta è ....

13 **Completate con il superlativo relativo.**

1. Capri è .... bella isola .... Tirreno.
2. La Lombardia è .... ricca .... regioni italiane?
3. L'inquinamento è .... problema .... serio .... grandi città.
4. Secondo me, è Roma .... bella città .... mondo!
5. Queste scarpe sono .... care .... questo negozio.
6. La Scala è .... teatro lirico .... famoso .... mondo.

14 Completate le frasi con il superlativo assoluto degli aggettivi.

1. La situazione non è soltanto grave, è ....
2. Per superare l'esame ha dovuto studiare molto, anzi ....
3. Non metterò mai più piede in quel ristorante: è molto caro, per non dire ....
4. Firenze non è semplicemente bella, è ....
5. Dopo una bella doccia calda mi sento bene, anzi ....
6. Quanto zucchero ha messo nel caffè? Non è dolce, è ....!

15 Formate delle frasi con il superlativo assoluto e il superlativo relativo, secondo il modello.

> Villa - bella - quartiere
> Questa villa è *bellissima*, ma non è *la più* bella *del* quartiere.

1. Quadro - prezioso - museo

....

2. Donatella - simpatica - famiglia

....

3. Esercizio di matematica - difficile - libro

....

4. Vino - buono - ristorante

....

5. Cellullare - piccolo - in commercio

....

6. Studente - bravo - scuola

....

16 In base alle informazioni date, scrivete più frasi possibili con le forme di comparazione conosciute finora.

1. *Monti: altezza*
   Monte Cervino: m. 4.476; Monte Rosa: m. 4.634; Monte Everest: m. 8.844

....

....

2. *Città: abitanti*
   Londra: 12 milioni; San Paolo: 25 milioni; Tokyo: 12 milioni

....

....

3. *Monumenti: periodo storico*
   Piramidi: 5000 a.C.; Partenone: V secolo a.C.; Colosseo: I secolo d.C.

....

....

4. *Fiumi: lunghezza*

   Nilo: 6.671 Km.; Gange: 6.700 Km.; Po: 652 Km.

   ....

   ....

5. *Animali: dimensioni*

   Elefante; topo; cane

   ....

   ....

6. *Automobili: prezzo d'acquisto*

   Ferrari F430: € 200.000; Golf GT: € 13.750; Fiat Bravo: € 18.500

   ....

   ....

17 Completate le frasi scegliendo tra le forme irregolari di comparativo e di superlativo.

> *superiore - ottimo - pessimo - massimo - superiore - peggiore*

1. Questo è un caso che richiede la .... attenzione!
2. Siamo ultimi in classifica: la mia squadra è la .... del campionato.
3. Quest'anno abbiamo avuto un inverno caldo; infatti la temperatura era ....
   alla media stagionale.
4. Sono veramente soddisfatto: i risultati sono stati .... alle aspettative.
5. Non sono contento per niente; abbiamo pagato tanto e il servizio era ....
6. Abbiamo comprato la casa perché era in .... condizioni.

18 Come il precedente.

> *minore - inferiore - pessimo - massimo -*
> *superiore - peggiore - maggiore - ottimo*

1. La nostra palazzina ha tre piani: io abito all'ultimo, al piano
   .... i miei genitori e al primo ci abita mia sorella.
2. Che schifo! Questo caffè è ....! Sicuramente il
   .... caffè mai bevuto!
3. Fernando è davvero antipatico: si crede .... a tutti solo perché è ricco!
4. A tennis, hai perso la partita perché non hai dato il ....
5. Ecco, questo è Carlo, il mio fratello ....: ha 2 anni più di me. Sara, invece,
   che ha compiuto ieri 8 anni, è la nostra sorella ....
6. Non dovresti rinunciare a questo lavoro, è davvero un' .... occasione per te!

19 Completate con le preposizioni i seguenti versi tratti da alcune famose canzoni italiane.

1. Lasciatemi cantare .... chitarra .... mano, lasciatemi cantare: sono un italiano. (Toto Cutugno, *L'italiano*)

2. Con te partirò, ... navi .... mari che io lo so, no no non esistono più... (Andrea Bocelli, *Con te partirò*)

3. Mi sono innamorato di te perché non avevo niente .... fare; il giorno volevo qualcuno .... incontrare, la notte volevo qualcuno .... sognare. (Luigi Tenco, *Mi sono innamorato di te*)

4. Sapore di sale, sapore di mare che hai .... pelle, che hai .... labbra, quando esci .... acqua e ti vieni .... sdraiare, vicino .... me, vicino .... me. (Gino Paoli, *Sapore di sale*)

5. Poi .... improvviso venivo .... vento rapito e cominciavo .... volare .... cielo infinito... Volare, oh oh, cantare oh oh oh... (Domenico Modugno, *Nel blu dipinto di blu*)

6. Azzurro, il pomeriggio è troppo azzurro e lungo .... me; mi accorgo .... non avere più risorse senza .... te. (Adriano Celentano, *Azzurro*)

20 Rispondete per iscritto al questionario di un albergo in cui avete alloggiato durante una vostra vacanza.

1. Motivo principale per cui ha scelto il nostro albergo.

....

2. È la prima volta che viene nel nostro albergo? Se non lo è, quando è venuto/a per la prima volta in uno dei nostri alberghi? Dove?

....

....

3. Tre aggettivi positivi e tre negativi per descrivere l'albergo.

....

....

4. Cosa non ha trovato in camera che avrebbe voluto trovare?

....

....

5. Cosa cambierebbe nel menù del ristorante?

....

....

6. Quali servizi, secondo Lei, dovrebbe aggiungere l'albergo?

....

....

21 Ascolto

Ascoltate l'intervista ad un albergatore e completate con le parole mancanti (massimo quattro parole).

1. Decisamente il periodo estivo (...); ci sono poi clienti ....
.... che vengono nella nostra città praticamente tutto l'anno.

2. Negli ultimi anni abbiamo avuto ....

3. Tra l'altro sono molto molto contento dei miei collaboratori, ...
...., molto professionali.

4. Inoltre, abbiamo .... privato, e poi...

5. È un po' il nostro punto di forza la cucina, che ....
...., permette
un po' di gustare tutti i sapori tipici della nostra regione.

6. ...sia a pranzo che a cena tutti i giorni c'è menù a
scelta ....
.... buffet con verdure fresche.

TEST FINALE

A Alcune di queste frasi sono sbagliate: riscrivetele correttamente.

1. Per me è più importante parlare di scrivere in una lingua straniera.
....

2. Giorgio è il più alto tra la sua classe.
....

3. Giovanna è una ragazza tanto bella quanto simpatica.
....

4. Una villa è la più costosa di un semplice appartamento.
....

5. La mia casa è la più nuova della tua.
....

6. Scusami, ma non ho potuto trovare una sistemazione migliore.

B **a) Leggete la brochure e completatela con i nomi dei luoghi o dei monumenti che avete incontrato nei testi di *Conosciamo l'Italia* e che vi diamo qui alla rinfusa (San Pietro - Asinelli - Vesuvio - Colosseo - Maggiore).**

AGENZIA *EASYTOUR* DI FIRENZE
OFFERTE PER LE VACANZE DI PASQUA:
prenotate all'ultimo minuto!!

1. Roma - Napoli in pullman (4 GIORNI, 3 NOTTI) - Partenza: da Firenze
   Primo giorno:
   ROMA ANTICA: il Foro romano e il (1)..............................; le catacombe sulla via Appia.
   Secondo giorno:
   LE PIAZZE DI ROMA: Piazza di Spagna, la Fontana di Trevi, Piazza Navona, il Campidoglio.
   Pomeriggio: Piazza (2)........................... e il Vaticano.
   Terzo giorno:
   I MONUMENTI DI NAPOLI: Teatro San Carlo, il Maschio Angioino, il centro storico.
   Quarto giorno:
   DINTORNI DI NAPOLI: gita sul vulcano (3)..........................., Pompei ed Ercolano.
   A partire da 400 € a persona.

2. Una domenica tra i sapori e i colori di Bologna
   MATTINA - I COLORI: il centro storico di Bologna, la Torre della Garisenda e degli
   (4)........................... .
   La cattedrale di S. Petronio, Piazza (5)........................... e Piazza del Nettuno.
   POMERIGGIO - I SAPORI: assaggi di formaggi, salumi e degustazione dei migliori vini.
   50 € a persona.

3. Palermo, capitale del Mediterraneo (2 GIORNI, 2 NOTTI) - Volo da Milano o Roma
   PRIMO GIORNO - la Palermo araba e normanna: il centro storico, la chiesa di S. Giovanni
   degli Eremiti, la Torre Pisana.
   SECONDO GIORNO - la Palermo barocca: le chiese e i palazzi del centro. Visita di Monreale.
   320 € a persona.

b) **Scegliete la risposta corretta.**

1. Mi interessano le offerte dell'agenzia *Easytour* se voglio programmare:
a) la vacanza almeno tre mesi prima
b) delle vacanze per l'ultimo dell'anno
c) la vacanza all'ultimo momento

2. Se mi interessa la gastronomia scelgo la gita:
a) a Roma
b) a Bologna
c) a Palermo

3. Se ho paura dell'aereo non scelgo sicuramente la vacanza:

a) a Roma

b) a Bologna

c) a Palermo

C   Scegliete la risposta corretta.

1. Per il nostro giardino, la pioggia è (1)................................ utile (2)................................ sole.

(1)   a) quanto   (2)   a) così il
       b) come   b) quanto il
       c) tanto   c) del

2. Tutti dicono che Laura è una ragazza (1)..............................., ma secondo me è più dolce
    (2)............................ simpatica.

(1)   a) più simpatica   (2)   a) di
       b) simpaticissima   b) della
       c) più simpaticissima   c) che

3. Vincenza è (1)....................... della compagnia, ma a scuola prende sempre i voti (2).........................

(1)   a) la più maggiore   (2)   a) più bassi
       b) la maggiore   b) più inferiori
       c) più grande   c) più pessimi

4. Sono certo che (1)..........................., sarai (2)...........................!

(1)   a) te la farai   (2)   a) il migliore
       b) ce la farai   b) il meglio
       c) ce ne farai   c) il bravo

5. Carmelo Conti, un pizzaiolo italiano, molti anni fa (1)......................... a lavorare in America.
    Ora è diventato famoso perché ha fatto una pizza di 250m², (2)............................ mondo.

(1)   a) se ne andava   (2)   a) la superiore del
       b) se ne è andata   b) la massima del
       c) se ne è andato   c) la più grande del

Risposte giuste: /24

1º Test di ricapitolazione (Unità 1, 2 e 3)

A   Rispondete alle seguenti domande.

1. - Hai portato i libri a Maria?
   - Sì, ... due giorni fa.
2. - Quando vi hanno consegnato la macchina?
   - Non .... ancora.
3. - C'è una birra?
   - Nel frigo .... deve essere una ghiacciata, proprio come piace a te.
4. - Quando ci farai sapere se verrai anche tu a Pisa?
   - .... farò sapere entro domani.
5. - Ti è piaciuta la torta?
   - Sì, puoi dar .... un altro pezzo?
6. - Professore, nei nostri compiti ci sono molti errori?
   - Beh, ... abbastanza, ma pazienza: sbagliando, s'impara.

                                                                                    /6

B   Completate con gli interrogativi adatti.

1. .... farai adesso che tua moglie è partita?
2. .... volte devo dirtelo? Non voglio parlare più con lui!
3. Fra questi vestiti .... ti sembra più alla moda?
4. .... soldi hai con te?
5. A .... punto siete?
6. Per .... motivo mi cercavi?

                                                                                    /6

C   Completate con i pronomi adatti.

1. - Scusa, ... dai la penna (a me)?
   - Sì, ... do subito.
2. - Se vedi Filippo puoi dir .... di telefonar .... (a me)?
   - Sì, ... dico sicuramente.
3. - Ragazzi, siamo senza soldi, ... prestate 20 euro?
   - D'accordo, ... prestiamo!
4. - Ho telefonato a Giorgio, ma non .... ho detto la verità.
   - E perché non .... hai dett ....?
   - Perché mi vergognavo!
5. - Anna, hai visto Tommaso? Doveva darti un pacco.
   - Sì, ... ha dat ....

6. - Hai sentito? Nicoletta e Paolo hanno divorziato!
   - Chi .... ha dett ....?
   - .... ha dett .... Sonia, la sorella di Paolo.

/16

D Completate con i verbi dati tra parentesi.

1. Gli ospiti (*andarsene*) .... molto soddisfatti.
2. Se troviamo un taxi forse (*farcela*) .... a prendere il treno.
3. Per favore, (*andarsene*) .... tutti! Voglio rimanere da solo.
4. Ragazzi, se volete potete (*andarsene*) ....
5. Sì, mia figlia ora lavora: (*farcela*) .... a vincere il concorso!
6. Teresa è andata via di casa perché non (*farcela*) .... più a vivere con i suoi.

/6

E Completate con i pronomi relativi.

1. Questa è la persona .... ti ho parlato tante volte.
2. Chi sono Anna e Serena? Sono le ragazze .... ho conosciuto in Italia.
3. Questa è la casa .... ho abitato da bambino.
4. Non capisco il motivo .... non sei andato a lavorare.
5. Quello è il ragazzo .... è innamorata mia sorella.
6. Non sono molte le persone .... mi fido.

/6

F Completate le seguenti frasi.

1. Maria è bella, ma, secondo me .... bella è simpatica.
2. Paolo è molto intelligente; infatti, è il .... intelligente .... sua classe.
3. Questo mese ho speso mille euro, il mese scorso ne avevo spesi 800: questo mese ho speso .... quello passato.
4. Quest'anno la nostra ditta non è andata molto bene per cui i guadagni sono stati .... all'anno precedente.
5. Francesco è veramente un bel ragazzo, ma che dico, è ....
6. Non mi sono divertito per niente e sono stato male per diversi giorni: ho passato le .... vacanze della mia vita.
7. Nessuno può dire che una cultura è .... a un'altra.
8. Non c'è differenza, per me il caffè è buono .... il tè.

/8

Risposte giuste: /48

1   Inserite il verbo alla corretta persona plurale del passato remoto.

> Io finii prima del previsto.
> *Noi finimmo prima del previsto.*

1. Arrivai a Roma che era già notte.
   Noi .... a Roma che era già l'alba.
2. Comprai questa casa 10 anni fa.
   Voi quando .... la vostra casa?
3. Romina, dopo otto anni, scoprì di non amare più suo marito.
   Gianni e Romina, dopo otto anni, ... di non amarsi più.
4. Capii subito che non diceva la verità.
   Noi .... subito che non diceva la verità.
5. Alla festa di Stefania mi divertii come un matto.
   Alla festa di Stefania ci .... come matti.
6. Io finii prima di loro.
   Voi quando .... ?

2   Mettete al passato remoto il verbo tra parentesi.

1. Noi (*accompagnare*) .... Roberto alla fermata del metrò.
2. Tonino e suo fratello (*abitare*) .... per dieci anni in via Asiago.
3. Voi (*partire*) .... per la Germania giovanissimi.
4. Loro (*credere*) .... a tutto quello che avevano ascoltato.
5. Io (*temere*) .... per il peggio, ma poi tutto andò bene.
6. Tu, (*andare*) .... a trovare Mario quando era malato?

3   Completate secondo il modello.

> (*fondare*)   Chi *fondò* Roma?

1. (*capire*)   I ragazzi non .... che tu scherzavi.
2. (*cominciare*)   Quando .... ad occuparti di computer?
3. (*bruciare*)   Non è certo che Nerone .... Roma.
4. (*scoprire*)   Cristoforo Colombo .... l'America per caso.
5. (*assassinare*)   I senatori stessi .... Giulio Cesare.
6. (*morire*)   Mozart .... a soli 35 anni!

4   **Come il precedente.**

1. (*emigrare*)   Milioni di italiani .... negli Stati Uniti.
2. (*partire*)   Silvia e Federico .... senza salutarci.
3. (*trovare*)   Noi .... la strada da soli.
4. (*parlare*)   I due soci .... a lungo prima di decidere.
5. (*sentire*)   Per un lungo periodo di tempo non .... parlare di lui.
6. (*inventare*)   Nel 1896 Guglielmo Marconi .... il telegrafo senza fili.

5   **Completate con le espressioni date.**

> *voglio dire - mi spiego - in che senso -*
> *cioè - vale a dire - nel senso che*

1. Forse non sono stato abbastanza chiaro e allora .... meglio.
2. La sua mi sembra una storia molto strana, ... molte cose non coincidono.
3. Non ho soldi, ... che non andrò in vacanza.
4. .... non trovi giusto il mio modo di fare?
5. Quando dico che probabilmente ci vedremo, ... che forse verrò!
6. Il direttore mi ha detto di non aver più bisogno di una segretaria: da domani, ...
   ...., sono disoccupata!

6   **Completate secondo il modello.**

> (*essere*)   Ricordo che in quell'occasione, voi non
> *foste* per niente gentili con gli ospiti.

1. (*avere*)   I nostri vicini .... un incidente, ma senza gravi conseguenze.
2. (*dire*)   .... che sarebbero passati, ma poi non si sono visti.
3. (*stare*)   I ragazzi .... ad ascoltare in silenzio i rimproveri dei loro
   genitori.
4. (*dare*)   Io non .... subito una risposta.
5. (*essere*)   Quanti .... i re di Roma?
6. (*dire*)   Quella sera tu .... alcune cose non proprio belle su di lui.

7   **Come il precedente.**

1. (*avere*)   Giulio Cesare .... un figlio da Cleopatra.
2. (*essere*)   La nostra .... veramente un'esperienza unica!
3. (*restare*)   C'era tanta gente sul treno che io e mia madre .... in piedi
   per tutto il viaggio!
4. (*dire*)   Simona gli .... chiaramente di andarsene,
   ma Antonio faceva finta di non capire.
5. (*dare*)   Loro mi .... tanti buoni consigli.
6. (*fare*)   L'anno scorso, Marina e Giorgio ....
   un bellissimo viaggio in Cina.

8 Trasformate secondo il modello. Consultate anche l'Appendice grammaticale.

> Non ci sono andato perché il giorno dopo dovevo alzarmi presto.
> *Non ci andai perché il giorno dopo dovevo alzarmi presto.*

1. Il professore ha tenuto una splendida lezione sugli antichi Romani.

  ....

2. Avevano detto che sarebbero rimasti solo due giorni.

  ....

3. Ho capito subito che non c'era niente da fare!

  ....

4. Sono stato male per tre giorni.

  ....

5. Abbiamo ricevuto l'invito troppo tardi, per questo non ci siamo andati.

  ....

6. È venuto direttamente dall'ufficio.

  ....

9 Mettete al passato remoto il verbo tra parentesi.

1. Gianna e Mario (*dire*) .... di non saper nulla di quella storia.
2. Quando (*essere*) .... certa del suo amore, (*sposarlo*) ....
3. Tre anni fa (*noi andare*) .... in Tunisia e (*noi comprare*) .... un sacco di cose inutili.
4. Siccome aspettavo alcuni colleghi per cena, (*mettere*) .... in ordine la casa.
5. Alla fine, (*tu fare*) .... in tempo a prendere l'aereo?
6. Sara e Walter non (*dare*) .... l'esame perché non erano preparati.

10 Rispondete alle domande secondo il modello. Consultate anche l'Appendice grammaticale.

> Perché non hai risposto alle mie e-mail?
> *Non risposi alle tue e-mail perché non le avevo ricevute.*

1. - Perché non hai chiesto scusa?

  - Non .... scusa perché avevo ragione.

2. - Quando è successo tutto questo?

  - .... subito dopo la vostra partenza.

3. - Come hai convinto tuo fratello a uscire con te?

  - Come lo .... una settimana fa: gli ho detto che c'era Elena!

4. - Mi hanno detto che hai pianto dopo la fine del film; è vero?

  - Sì, l'ultima volta che .... così tanto fu quando ero bambina.

5. - Perché non hai chiesto il mio parere prima di acquistare la macchina?

   - Semplice! Perché tu non .... il mio!

6. - Quando hai preso le ferie l'anno scorso?

   - L'anno scorso le .... a Ferragosto: mai più!

11 **Mettete al passato remoto il verbo tra parentesi.**

1. Fra tanti paesi, i ragazzi (*scegliere*) .... di passare la luna di miele a Malta.

2. Tanti anni fa (*io cadere*) .... dalle scale.

3. Francesca non (*volere*) .... rimanere, nonostante le nostre insistenze.

4. Io non (*scendere*) .... subito perché non avevo sentito il citofono.

5. Alla mia domanda (*lui rispondere*) .... negativamente.

6. Loro (*discutere*) .... per ore di un problema, secondo me, inesistente.

7. Marco e Rosa (*esprimere*) .... con chiarezza il loro punto di vista.

8. Quando (*lui venire*) .... a trovarci abitavamo ancora in via Moretti.

12 **Trasformate secondo il modello.**

> Gli ho chiesto se poteva prestarmi la sua macchina.
> *Gli chiesi se poteva prestarmi la sua macchina.*

1. I volontari hanno raccolto tutti i rifiuti che c'erano nel parco.

   ....

2. Questo scrittore è nato quando la guerra era appena finita.

   ....

3. Avevo un fastidioso mal di gola, perciò ho smesso di fumare.

   ....

4. Enrico Fermi ha vinto il premio Nobel per la Fisica nel 1938.

   ....

5. Il discorso del sindaco non ha convinto nessuno!

   ....

6. Alla festa di Paolo ho ballato tanto e alla fine ero sfinito.

   ....

13 **Trasformate le frasi.**

> *1968* Scoppia il Maggio francese.
> *Nel 1968 scoppiò il Maggio francese.*

1. *1492* Muore Lorenzo il Magnifico, signore di Firenze.

   ....

2. *1798* Nasce a Recanati il poeta Giacomo Leopardi.

   ....

3. *1934* L'Accademia di Svezia assegna il Nobel per la Letteratura a Luigi Pirandello.

....

4. *1963* A Dallas muore in un attentato John Kennedy.

....

5. *1978* Le Brigate Rosse rapiscono Aldo Moro.

....

6. *2006* L'Italia conquista i Mondiali di calcio.

....

14 La favola di Pinocchio: completate le frasi con i verbi al passato remoto o all'imperfetto e rimettete in ordine le sequenze della favola.

A In poco tempo Geppetto (*finire*) .... il suo burattino, completo di braccia, mani, gambe e piedi.

B C'era una volta Geppetto, un vecchio falegname che (*vivere*) .... da solo in una piccola casa con la sola compagnia di un piccolo gatto e un pesce rosso.

C Dopo gli occhi, (*fare*) .... il naso, ma il naso, appena fatto, (*cominciare*) .... a crescere e (*diventare*) .... in pochi minuti un naso lunghissimo, impossibile da tagliare.

D Un giorno, Geppetto (*decidere*) .... di costruire un burattino per avere qualcuno con cui parlare; allora (*prendere*) .... un grande pezzo di legno, gli attrezzi e (*cominciare*) .... a lavorare.

E Per cominciare gli (*fare*) .... il viso, i capelli e gli occhi e gli (*scegliere*) .... un nome: Pinocchio. (*Stupirsi*) .... molto quando (*vedere*) .... che gli occhi di Pinocchio (*muoversi*) .... e lo (*fissare*) ....!

F Appena finito, il burattino (*alzarsi*) .... e (*cominciare*) .... a camminare! Geppetto non (*credere*) .... ai suoi occhi! Il burattino (*camminare*) .... e (*parlare*) ....!

G Dopo il naso (*fare*) .... la bocca; ma la bocca, appena fatta, (*cominciare*) .... a ridere e poi a (*tirare*) .... fuori la lingua.

La sequenza giusta è: ....

15 Completate secondo il modello.

> Lo scusai dopo che (*ascoltare*) *ebbi ascoltato* le sue ragioni.

1. Appena (*ricevere*) .... i documenti, mi iscrissi all'università.
2. Me ne andai dopo che (*spiegargli*) .... il mio punto di vista.
3. Dopo che (*leggere*) .... la notizia sul giornale presero subito l'aereo e tornarono a casa.
4. Mio padre cambiò la sua macchina appena (*avere*) .... un aumento di stipendio.
5. Monica ci parlò di Vittorio dopo che lo (*sposare*) ....!
6. Non appena sua madre (*partire*) ...., Eugenia si mise a piangere.

16 Come il precedente.

1. Appena (*prendere*) .... la laurea in Medicina, aprii uno studio medico in centro.
2. Non appena l'autobus (*partire*) ...., mi ricordai di non aver preso il mio computer portatile.
3. Nino si licenziò dalla sua ditta quando (*ricevere*) .... un'offerta migliore.
4. Dopo che (*aspettare*) .... più di mezz'ora, si ricordarono che di sabato le banche sono chiuse.
5. Morena poté avere il permesso di soggiorno dopo che (*superare*) .... una serie di difficoltà.
6. Dopo che (*tornare*) .... dal loro viaggio in America, decisero di iscriversi a un corso di inglese.

Dott. CAGGIANO MAURO
MEDICO CHIRURGO
MALATTIE DELL'APPARATO RESPIRATORIO
SPECIALISTA IN ALLERGOLOGIA ED
IMMUNOLOGIA CLINICA
TEL. 02.7381267
AUT. N 11249056/2000

17 **Completate secondo il modello.**

> (*dolce*) Mi ha parlato molto *dolcemente*.

1. (*generale*) .... le cose non vanno come vorremmo!
2. (*libero*) Non ti preoccupare, parla pure ....
3. (*elegante*) .... ci ha fatto capire che non aveva più bisogno di noi.
4. (*serio*) Smettetela, adesso parlo ....!
5. (*attuale*) .... stiamo attraversando un periodo di crisi.
6. (*sereno*) Abbiamo affrontato la situazione ....
7. (*esatto*) Ho fatto .... come avevi detto tu.
8. (*casuale*) L'ho incontrato .... alla stazione.

18 **Dagli aggettivi dati, ricavate gli avverbi corrispondenti e completate le frasi.**

> *recente - assoluto - minimo - giusto - inutile - personale - attento - probabile*

1. Sei andata in qualche posto?
   .... sono stata in Tunisia.
2. Hai trovato il tuo anello?
   Ho cercato dappertutto, ma ....
3. Mi hai spedito i documenti?
   Sono andata .... alla posta.
4. Quando ci verrete a trovare?
   .... alla fine dell'estate.
5. Perché non invitiamo anche Miriam?
   Non ci pensare ....!
6. Come ha reagito?
   Avendo ragione, ... si è arrabbiato.
7. Hai letto i miei appunti?
   Sì, li ho letti .... Hai fatto un ottimo lavoro!
8. Verrai al cinema con noi?
   .... no! I film storici non mi piacciono per niente!

19 **Completate con le preposizioni.**

1. Da come parli, mi sembra .... capire che .... te è più
   facile spostarti .... bici piuttosto che .... macchina.
2. Visto che gli esami si avvicinano, andiamo .... qualche
   giorno .... mare?
3. Molte volte non crediamo .... cose che facciamo.
4. Puoi passare .... Paolo e prendere i miei appunti .... storia?
5. Oggi comunicare .... altri è molto più semplice grazie .... nuove tecnologie.
6. Se continuerà .... nevicare, questo fine settimana andrò sicuramente .... sciare.

1 Completate con il congiuntivo presente, secondo il modello.

> Francesco è nel suo ufficio.
> *Credo che Francesco sia nel suo ufficio.*

1. Stefano guarda la televisione.
   Credo che Stefano ...*guardi*... troppa televisione.
2. Luigi arriva stasera?
   Tu pensi che ...*arrivi*... stasera o domani?
3. I ragazzi hanno fame.
   Credo che i ragazzi ...*abbiamo*... molta fame.
4. Tu e Nicola siete in ritardo.
   Credo che ...*siate*... in ritardo di 20 minuti.
5. Mario prende solo un caffè.
   Penso che Mario ...*prenda*... sempre il caffè senza zucchero.
6. Noi partiamo oggi per Firenze.
   Loro pensano che ...*partiamo*... domani, invece partiamo oggi.

2 Completate con il congiuntivo presente, secondo il modello.

> Mariella parte per il suo paese.
> *Non sono sicuro che Mariella parta per il suo paese.*

1. I signori Leone vendono la loro casa al mare.
   Non sono sicuro che ...*Leone vendano la loro casa al mare*...
2. Tu non ti diverti tanto ultimamente.
   Mi pare che ...*tu non ti stia divertendo tanto ultimamente*...
3. Sono sicuro che voi avete qualche buon motivo per non venire con noi.
   Non sono sicuro che ...*voi abbiate qualche buon motivo per non venire con noi*...
4. I tuoi amici si trovano bene in Italia.
   Sembra che ...*i tuoi amici si trovino bene in Italia*...
5. Giorgio è a casa perché ha l'influenza.
   Ho l'impressione che ...*Giorgio sia a casa perché l'influenza*...
6. Loro mangiano sempre in quella trattoria.
   Non sono certo che ...*loro mangino sempre in quella trattoria*...

53

3 Completate le frasi con il congiuntivo presente dei verbi tra parentesi.

1. Credo che i bambini (*avere*) ..... *abbiano* .... sonno, per questo sono agitati.
2. Queste vacanze sono diventate un inferno, speriamo che (*finire*) ... *finisca* .... presto.
3. Bisogna che voi (*prendere*) ... *prendiate* .... gli studi sul serio, altrimenti...
4. Che freddo, come mai? Sembra che non (*funzionare*) ... *funzioni* .... l'impianto di riscaldamento.
5. Non sono sicuro che Antonio (*giocare*) ... ~~gioca~~ *giochi* .... ancora a tennis.
6. Non c'è più latte! È necessario che qualcuno (*scendere*) ... *scenda* .... a prenderlo.

4 Completate con il congiuntivo passato, secondo il modello.

> Quando torna Claudio?
> *Credo che Claudio sia tornato da un pezzo.*

1. Anna ha comprato il giornale?
   Sì, ... stamattina.
2. Sapete se Sonia si è laureata?
   .... l'anno scorso.
3. Secondo te, chi ha pagato il viaggio di nozze?
   .... i genitori della sposa.
4. Rodolfo è mai venuto a Verona?
   .... due anni fa.
5. Credi che finiscano prima di noi?
   .... da mezz'ora circa.
6. Chi avrà vinto la partita?
   Spero .... l'Italia!

5 Completate con il congiuntivo passato, secondo il modello.

> Non credo che lui (*usare*) *abbia usato* il tuo cellulare.

1. Credo che Gina (*uscire*) .... con la tua macchina.
2. È probabile che loro (*andarsene*) .... prima del nostro arrivo.
3. Non siamo sicuri che voi (*fare*) .... tutto il possibile per aiutarci.
4. Ho l'impressione che Giulio (*partire*) .... senza dirmi niente!
5. Sono contento che tua figlia (*vincere*)
   .... il concorso.
6. Mi sembra che Carlo (*andare*) ....
   .... al cinema con Loredana.

6   Come il precedente.

1. Non credo che (*essere*) .... sincero e che (*raccontare*) ....
   .... tutto quello che sapeva.
2. Mi pare che i ragazzi (*dare*) .... il meglio di se stessi!
3. È molto probabile che Valerio (*passare*) .... da Rosa.
4. Se non hanno risposto alla tua lettera, può darsi che non (*riceverla*) ....
5. Non vogliono venire all'opera perché credo che (*vedere*) .... già
   lo spettacolo.
6. È impossibile che i miei ragazzi (*comportarsi*) .... da maleducati!

7   Coniugate al congiuntivo presente i verbi dati. Consultate anche l'Appendice grammaticale.

1. *andare*   Credo che Gianna e Maurizio non ....vadano............ più d'accordo come un
                tempo.
2. *salire*   È necessario che tu ......sala............ un attimo da noi.
3. *volere*   Mi pare che lei non ....vola............ vederlo nemmeno in fotografia!
4. *fare*   Non è possibile che voi ......facciate............ tutto da soli.
5. *potere*   Mi dispiace che loro non ....potenamo............ venire con noi.
6. *dire*   Non mi sembra che lui .....dica............ sempre la verità.
7. *venire*   È facile che io ....veme............ in pizzeria con Carmen.
8. *uscire*   Con un mal di denti così forte è improbabile che io
                .....uscita............ .

8   Coniugate al congiuntivo presente i verbi dati alla rinfusa.

> *dire - scegliere - venire - sapere - salire - fare - dare - stare*

1. Credo che Dino .... una festa, ma non so quando.
2. È incredibile che in questo periodo .... così caldo.
3. È necessario che voi .... la verità ai vostri genitori.
4. È naturale che io .... quello che più mi piace!
5. Speriamo che non .... anche i miei suoceri!
6. Credo che tu .... per preparare qualche scherzo!
7. Vuoi che non .... quando è nata mia moglie?
8. Spero che il prezzo della benzina non ....
   ancora.

9 **Completate secondo il modello.**

> Vanno a ballare.
> *Penso che vadano a ballare.*

1. *Pare che*   Sono tornati ieri dalla costiera amalfitana.
   ....

2. *Immagino che*   Siete venuti per vedere Nicola?
   ....

3. *Temo che*   Alessandro non può accompagnarvi.
   ....

4. *Non sono certo che*   Hai avuto un'idea brillante.
   ....

5. *Ho paura che*   Non hai capito bene quello che ho detto.
   ....

6. *Voglio che*   Sentite quando vi parlo!
   ....

7. *Mi aspetto che*   Fate una bella figura.
   ....

8. *Mi fa piacere che*   Vi trovate bene in questa città.
   ....

10 **Completate secondo il modello. Consultate anche l'Appendice grammaticale.**

> Valeria non è più arrabbiata con me. (*sembra che*)
> *Sembra che Valeria non sia più arrabbiata con me.*

1. Patrizia non si fa vedere ultimamente: le sarà successo qualcosa? (*è strano che*)
   ....

2. Alberto vuole andare a vivere in Francia. (*si dice che*)
   ....

3. Faccio una telefonata in ufficio. (*è necessario che*)
   ....

4. Marco è pronto per un'altra avventura. (*sembra che*)
   ....

5. La sua fabbrica sta per chiudere. (*dicono che*)
   ....

6. Non sa dove abito. (*è possibile che*)
   ....

7. Tutti noi diamo una mano a chi ne ha bisogno! (*è bene che*)
   ....

8. Hanno bisogno di informazioni, sono straniere. (*è naturale che*)

11 Completate le frasi con il verbo al congiuntivo presente o passato.

1. Giovanni si è dimenticato dell'appuntamento.
   È facile che ....

2. Ora devi ritornare a casa e prendere la carta d'identità.
   Ho paura che ....

3. Ha commesso una leggerezza imperdonabile.
   Temo che ....

4. Restate a cena con noi!
   Desidero che ....

5. Venite a vivere vicino a casa nostra.
   Sono felice che ....

6. Non ti ha sentito, parli troppo piano.
   È normale che ....

7. Il direttore ci darà l'aumento che ci aveva promesso.
   Mi auguro che ....

8. Secondo me, dovresti chiedere scusa a Chiara per averla offesa davanti a tutti.
   È giusto che ....

12 Completate secondo il modello.

> L'avvocato Berti, benché (*essere*) *sia* ricco, continua a lavorare.

1. Nonostante (*compiere*) .... 78 anni, mio nonno continua ad andare in bicicletta.

2. Ti comprerò il motorino basta che (*promettere*) .... di mettere sempre il casco!

3. Certo che potrete uscire, a condizione che (*aiutare*) .... i vostri compagni a capire e a risolvere l'esercizio di matematica.

4. Saremmo veramente contenti nel caso tu (*decidere*) .... di rimanere.

5. Vorrei salutare Michele prima che (*partire*) .... per Londra.

6. Il mio sogno è aprire una pasticceria affinché tutti (*potere*) .... conoscere le specialità del mio paese.

13 Inserite le congiunzioni giuste o il congiuntivo dei verbi dati.

> *non piacere - nel caso in cui - malgrado -*
> *non esserci - farmi - prima che*

1. È andato via in macchina .... io abbia insistito tanto per farlo rimanere.
2. Sono sola; telefonerò a Gianni perché .... compagnia.
3. .... la gita non si faccia, vi restituiremo l'anticipo.
4. Verrà anche Angela, purché .... Raffaella.
5. Gli parlerò .... possa saperlo da altri.
6. Pensiamo di andare in pizzeria a meno che a te la pizza

   ....

14 Abbinate le frasi con la congiunzione opportuna.

1. Vi invito   *prima che*   a. paghi io.
2. Viene al cinema con noi   *sebbene*   b. mi dica la verità.
3. Vai a salutare i tuoi amici   *affinché*   c. partano per la Spagna.
4. Parlerò con Sergio   *per*   d. conoscere tua sorella.
5. Ho comprato un nuovo cellulare   *benché*   e. sia molto costoso.
6. Non posso mangiare molto   *purché*   f. abbia molta fame.

15 Completate le frasi con gli elementi dati a fianco.

> *andare - comunque - qualsiasi -*
> *fare - riuscire - chiunque*

1. La palestra fa uno sconto a .... porti con sé un amico.
2. Ovunque .... si porta dietro il suo cuscino.
3. È la crociera più straordinaria che .... in vita mia.
4. .... cosa tu dica, io resterò della mia opinione.
5. Gianni è il solo che .... a farmi ridere quando sono giù.
6. Ti sarò sempre vicino .... vadano le cose!

16 Mettete gli infiniti tra parentesi al modo e al tempo opportuni.

1. Mi sembra impossibile che tu, in tutti questi anni, non (*capire*) .... ancora come la penso.
2. Non sono sicuro, ma credo che Ilaria (*finire*) .... di lavorare alle cinque, e (*tornare*) .... a casa verso le sette.
3. Mi sembra strano che tu non (*leggere*) .... un libro tanto conosciuto!
4. Vedo che sei abbastanza robusto, suppongo che tua madre (*essere*) .... un'ottima cuoca!

5. Può darsi che la banca (*darti*) .... il prestito di cui hai bisogno.

6. Mi sono rivolto a voi nella speranza che (*risolvere*) .... il mio problema!

7. Pare che la partita (*finire*) .... da un'ora.

8. Temo che Valentina non (*venire*) .... perché uscirà con i suoi amici.

17 **A seconda del significato mettete i verbi tra parentesi al tempo e al modo opportuni.**

1. Dimmi tutto, anche se (*capire*) .... quello che è successo.

2. È necessario che tu (*finire*) .... tutti gli esami entro l'anno.

3. Forse è meglio che io (*partire*) .... col primo pullman.

4. Nonostante Luisa (*stare*) .... male, è venuta in ufficio.

5. Sono felice di (*trovarsi*) .... di nuovo in mezzo a voi.

6. Sono sicuro che Piero (*andare*) .... in Scozia.

7. Penso di non (*fare*) .... una buona scelta.

8. Secondo me, noi (*fare*) .... prima per questa strada.

18 **Come il precedente.**

1. Non è importante che tu (*venire*) ...., anche se (*farmi piacere*) .... incontrarti dopo tanto tempo.

2. Sono certo che Lucia (*sposare*) .... il suo direttore per amore; altri però dicono che (*sposarlo*) .... per interesse.

3. Sono sicuro che lui (*comportarsi*) .... correttamente nei vostri confronti.

4. Sebbene Vincenzo (*partire*) .... con un'ora di anticipo, penso che, con questo traffico, non (*riuscire*) .... ad arrivare puntuale.

5. Probabilmente i ragazzi non (*tornare*) .... ancora dall'ufficio, altrimenti (*telefonarci*) .... già da un pezzo.

6. Poiché era senza soldi non (*uscire*) .... con noi; credo che (*rimanere*) .... a casa a guardare la TV.

7. Forse non (*loro volere*) .... venire alla festa, quindi non ci (*telefonare*) ....

8. - È meglio che voi (*riposarsi*) .... un po' prima di ricominciare a guidare.
- No, è meglio se (*bere*) .... un caffè all'autogrill e proseguiamo subito dopo.

19 **Completate con le preposizioni.**

1. Cerca .... finire in tempo.

2. Non lasciare i tuoi libri .... mia scrivania.

3. Queste tazzine .... caffè sono .... una ceramica molto fine.

4. Finisco .... lavorare .... cinque.

5. Vado .... camera mia.

6. Chi ha parcheggiato la macchina .... marciapiede?!

20 Come il precedente.

1. Molte volte, la cosa migliore .... fare è ascoltare .... silenzio.

2. .... balcone .... mia casa .... montagna si gode un magnifico panorama.

3. .... questo momento vorrei essere .... un'isola deserta, lontano ....
   preoccupazioni.

4. Ho convinto tutta la mia compagnia .... andare .... palestra.

5. Ho letto .... una rivista, ... cui non ricordo il nome, che l'acqua sarà presto un
   problema molto serio .... tutto il pianeta.

6. Hai telefonato .... quella ditta .... le informazioni che volevamo?

21 Completate le frasi con la parola opportuna (verbo, sostantivo, aggettivo, avverbio) formandola da quella data a fianco.

1. Questa pensione ha un'atmosfera molto .... Mi piace!

2. Il professor Vanni è uno .... di fama internazionale.

3. Prego signora, si accomodi in sala d'..........................., La chiamo io!

4. Di amici .... ne ho pochi.

5. Ha detto che mi aiuterà ....

6. Adesso ti devi .... e spiegarmi cos'è successo!

famiglia
studiare
attendere
intimità
sicuro
calmo

22 Ascolto

Ascoltate un'intervista a una ragazza, realizzata in una palestra di Milano. Scegliete la risposta corretta.

1. La palestra frequentata dalla ragazza
   - a. è piccola
   - b. è frequentata da bambini
   - c. è molto attrezzata
   - d. ha corsi per anziani

2. La ragazza ha scelto questa palestra anche perché
   - a. ci vanno i suoi amici
   - b. non è lontana
   - c. è aperta fino a tardi
   - d. conosce bene l'istruttore

3. La ragazza va in palestra
   - a. per passare un po' il tempo
   - b. perché ama nuotare
   - c. perché è un tipo molto sportivo
   - d. perché si vuole rilassare

4. La ragazza frequenta la palestra
   - a. due o tre volte alla settimana
   - b. tre o quattro volte al mese
   - c. tre o quattro volte alla settimana
   - d. tre o quattro volte al giorno

TEST FINALE

A   **Scegliete la risposta corretta.**

1.   I miei? Credo che quest'estate (1)............................. in montagna. Vedremo cosa (2)..........................!

   (1)   a) vadano   (2)   a) decideranno
        b) vanno   b) sono decisi
        c) siano andati   c) decidano

2.   È un bene per tutti che (1)......................... l'acqua nei mesi scorsi. Ora (2)........................... affrontare meglio il caldo di questi giorni!

   (1)   a) risparmierà   (2)   a) possiamo
        b) risparmi   b) abbiamo potuto
        c) abbiamo risparmiato   c) potremmo

3.   Ho paura che (1)........................... poche speranze, ma spero (2)...........................!

   (1)   a) ci sono   (2)   a) che mi sbaglierò
        b) ci siano   b) che mi sbaglio
        c) ci siano state   c) di sbagliarmi

4.   Nonostante Massimo (1)............................ tanto per l'Europa non (2)........................... ancora a parlare bene l'inglese.

   (1)   a) viaggia   (2)   a) riesce
        b) viaggiava   b) riesca
        c) viaggi   c) riusciva

5.   Qualunque strada (1)..........................., io (2)........................... sempre al suo fianco!

   (1)   a) scegli   (2)   a) sia
        b) scelga   b) sono stato
        c) scegliamo   c) sarò

6.   Che (1).......................... Pavarotti lo posso credere, ma che (2)........................... insieme a lui l'anno
   scorso a New York è difficile crederlo!

   (1)   a) abbia conosciuto   (2)   a) abbia cantato
        b) conoscerà   b) ne abbiamo cantato
        c) abbiamo conosciuto   c) cantiamo

B **Completate con:** *prima che, prima di, sebbene, purché, senza che, affinché.*

1. Ti comprerò le scarpe che vuoi, ... non costino troppo.
2. Devo fare il pieno di benzina .... partire.
3. Voglio essere chiaro, ... nessuno dica poi che non ha capito.
4. Vado in piscina .... non mi senta in forma.
5. È venuta al cinema con noi .... nessuno l'avesse invitata!
6. Telefonerò ai miei genitori .... partano per le vacanze.

C **Leggete le definizioni e risolvete il cruciverba.**

ORIZZONTALI:
2. Il calcio... in "dimensioni ridotte".
3. Uno sport di tre lettere.
4. Ci andiamo per fare un po' di ginnastica e per mantenerci in forma.
5. Lo sport in cui la *Ferrari* rappresenta l'Italia.
6. Lo si dice di una vita... passata a star seduti.

VERTICALI:
1. Ogni squadra è composta da 5 giocatori in campo.
2. Va in bici.
3. Fa veramente male a tutti: lo...

Risposte giuste: /26

1   Completate le frasi con l'imperativo indiretto, secondo il modello.

> Mario, bevi una camomilla; ti farà bene!
> *Signorina, beva una camomilla; Le farà bene!*

1. Butta la bottiglia nel bidone del riciclaggio!
   Signora Rosa, ... la bottiglia nel bidone del riciclaggio.

2. Pietro, sii comprensivo con i tuoi amici!
   Signora Chiara, ... comprensiva con Sua figlia!

3. Se non vuoi aspettare, prendi un taxi!
   Signor Sili, se non vuole aspettare, ... un taxi.

4. Non ti voglio più vedere: sparisci immediatamente!
   Non La voglio più vedere: ....!

5. Rosaria, apri pure la finestra, non mi dà fastidio!
   Signorina, ... la finestra, fa caldo!

6. Gianfranco, entra!
   Signor Baldi, ... per favore!

2   Come il precedente.

1. Gianni, offri un buon caffè ai nostri ospiti!
   Signorina, ... un buon caffè ai nostri ospiti!

2. Mi raccomando, abbi cura di te e della tua famiglia!
   Signorina, mi raccomando, ... cura di Lei e della Sua famiglia!

3. Ti prego, la prossima volta scrivi in modo più leggibile!
   La prego, la prossima volta .... e-mail più brevi!

4. Se sei così stanco, dormi!
   Se è così stanca, ...

5. Eva, parla tu con tua madre, io non ci riesco!
   Signorina, ... con Suo padre prima di decidere, è meglio.

6. Riccardo, manda Paolino all'edicola a prendere il giornale!
   Signorina, ... qualcuno a prendere il giornale!

3   Come il precedente.

1. Dino, racconta tutto quello che hai visto: lo sai che con me puoi parlare!
   Signora Rossi, ... tutto quello che ha visto: lo sa che con me può parlare!

63

2. Per favore, andiamo a mangiare al *Gambero rosso*, è tanto carino!

Signori, ... a mangiare al *Gambero rosso*, è un ottimo ristorante!

3. Se vuoi andare dai tuoi amici... va'!

Dottoressa Bindi, se per Lei è tanto importante andare a parlare con il direttore...

.... pure!

4. Se non ti va la pizza, ordina una bistecca!

Se non Le va la pizza, ... le penne all'arrabbiata!

5. Valerio, prendi la mia macchina se la tua non va!

Signor Ramaldi, ... la mia moto se la Sua non va!

6. Quando sarai a Roma telefona: vogliamo vederti!

Quando sarà a Roma ....: vorremmo vederLa!

4 **Completate le frasi con l'imperativo indiretto e i pronomi, secondo il modello.**

> Gianni, per favore, prendimi gli occhiali che sono sul tavolo!
> *Signorina, per favore, mi prenda gli occhiali che sono sul tavolo!*

1. Vedi quella piazza? Attraversala e sei arrivato!

Vede quella piazza? .... ed è arrivato!

2. Siediti pure! Io preferisco restare in piedi!

Signora, per favore, ...! Io preferisco restare in piedi!

3. Se vedi Angela, salutamela!

Se vede Angela, ...!

4. Claudio, rifletti prima di rispondere!

Signor Pizzi, ... prima di rispondere!

5. Vattene, non voglio più vederti!

...., non voglio più vederLa!

6. Piero, per favore, rilassati!

Signor Pivetti, per favore, ...!

5 **Come il precedente.**

1. Ti prego, amore mio, dammi un'altra possibilità!

La prego direttore, ... un'altra possibilità!

2. Se non siete sicuri, pensateci ancora un po'!

Signori, se non sono sicuri, ... ancora un po'!

3. Fulvio, calma, stammi a sentire!

Signor Ghezzi, per favore, ... a sentire!

4. Matteo ha bisogno di questi documenti, per favore portaglieli!

Signor Donati, il direttore ha bisogno di questi documenti, per favore ....!

5. Flavio, prima di usare i piatti nuovi, lavali bene!

Signorina, prima di usare i piatti nuovi, ... bene!

6. Caterina, ho mal di testa, abbassa la radio o spegnila!

Signorina, ho mal di testa, ... la radio o .... !

6 Completate la forma negativa dell'imperativo indiretto, secondo il modello.

> Non partire in aereo, ci sarà uno sciopero!
> *Non parta in aereo, ci sarà uno sciopero!*

1. In questo modo non ci guadagni nulla; ti prego, non fare così!

Signor Bialetti, La prego, non .... così.

2. Parla e non nascondere la verità!

Signora, ... e non .... la verità!

3. Cara mia, non credere di potermi prendere in giro ancora per molto!

Signor Toma, non .... di potermi prendere facilmente in giro!

4. Fammi la cortesia, non ripetere sempre le stesse cose!

.... la cortesia, non .... sempre le stesse cose!

5. Se avete qualche dubbio, non esitate a dirmelo!

Se hanno qualche dubbio, non .... a dirmelo!

6. Forse hai capito male: non prendere il 13, ma il 15!

Ha capito male: non .... il 13, ma il 15!

7 Come il precedente.

1. Non venire se hai mal di schiena!

Professore, non .... se ha mal di schiena!

2. Non stare tante ore davanti al computer, fa male agli occhi!

Signorina, non .... tante ore davanti al computer, fa male!

3. Non andare a vedere quel film, è noioso!

Signor Mario, non .... a vedere quel film, è veramente noioso!

4. Secondo me, ce la puoi fare da solo, non prendere una segretaria!

Secondo me, avvocato, ce la può fare da solo, non .... una segretaria!

5. Paolo, è inutile! Non telefonare a quest'ora, le banche sono chiuse!

Ragioniere, non .... a quest'ora, le banche sono chiuse!

6. Te lo avevo detto: "non vendere le azioni di questa società, vedrai che saliranno!"

Glielo avevo detto: "non .... le azioni di questa società, saliranno!"

8 Completate con i verbi dati alla forma giusta, come da modello.

> (*raccontarla*)   È una cosa seria, non *la racconti* a nessuno!

1. (*andarci*)   È una faccenda delicata; non .... Lei, mandi qualcun altro!

2. (*parlarne*)   Avvocato, mi raccomando, non .... al direttore!

3. (*invitarle*)   Sono delle pettegole, signora, non .... !

4. (*dirglielo*) Non .... Lei come stanno le cose, lo deve capire da solo!
5. (*prendersela*) È stato solo uno scherzo, professore, non ....!
6. (*telefonargli*) Signora, è ancora presto, non ....!

9 Scegliete il verbo giusto e completate la frase correttamente.

> *mangiare/loro - lasciare/lei - parlare/a noi -*
> *fare/a noi - dire/a lui - fare/a me - regalare/a lei*

1. Signora, ... la cortesia, non .... più dei suoi problemi!
2. Un'idea migliore? Non .... il solito mazzo di rose, ma un anello d'oro!
3. La prego, non .... dire quello che non voglio dire!
4. Se i dolci Le fanno male, non ....!
5. Signora, non .... niente finché non lo vedrà di persona.
6. Signorina, se non vuole che qualcuno le rubi la bicicletta, non ....
   .... qui!

10 Completate con gli aggettivi o i pronomi indefiniti dati.

> *altro - alcuni - alcune - certe -*
> *tanti - quanta - tante - nessuno*

1. Ha provato .... vestiti e alla fine non ne ha preso ....
2. Andiamo a mangiare in questo ristorante o in quell'.............................. accanto?
3. .... amici è meglio perderli che trovarli!
4. Sai .... bella gente c'era all'inaugurazione della pinacoteca?
5. Mi ha detto che avrebbe invitato .... persone, ma non immaginavo
   ....
6. Credimi, non è per niente bello dover affrontare .... situazioni insieme!

11 Completate con gli aggettivi o i pronomi indefiniti opportuni.

1. Mi sono scottato perché sono stato .... ore al sole e non avevo portato con me
   .... crema!
2. Vostro padre comprerà una bicicletta a .... di voi.
3. Non ho .... intenzione di passare un'altra notte in questo albergo, è troppo
   rumoroso!
4. Apri il frigorifero e prendi .... quello che vuoi.
5. Gli ho scritto .... lettere, ma finora non ho ricevuto .... risposta.
6. Non potete immaginare .... persone ho conosciuto durante il corso d'italiano
   a Perugia.

Perugia, l'Università per stranieri

12 Completate con i pronomi indefiniti opportuni. Consultate anche l'Appendice grammaticale.

1. In Italia .... può iscriversi all'università, basta avere un diploma di scuola media superiore.
2. .... di noi ha un suo particolare carattere: il mio è questo!
3. Marina oltre ad essere bella ha .... di particolare che la rende simpatica a tutti.
4. Ti prego, mangia! Sono due giorni che non tocchi ....!
5. A .... non piace la mia sincerità!
6. Ho una sete tremenda, berrei volentieri .... di fresco!

13 Come il precedente.

1. Sì, è carina, alta, ma .... di eccezionale.
2. Il direttore parte e .... di voi dovrà sostituirlo.
3. .... non va nei nostri rapporti; parliamone con franchezza!
4. Bambini calmi, ho .... per .... di voi.
5. Per .... al mondo Fabio perderebbe la finale di Champions League!
6. Non avere paura, troveremo .... da fare, sono certo che .... ci aiuterà.
7. Ho incontrato Vittorio dopo dieci anni e non è cambiato per ....
8. Credimi, non vale assolutamente la pena disperarsi per .... come lui!

14 Completate con gli aggettivi indefiniti dati.

> *certi - vari - qualsiasi - qualche - diversi - ogni*

1. Gianna vuol fare colpo su Luca, ... giorno mette un vestito diverso.
2. Sai benissimo che per me .... soluzione va bene, tranne che andare a sciare.
3. Potete dirci se abbiamo .... possibilità di partire presto?
4. Sono passati .... giorni e Giulio non si vede, sai dove è andato a finire?
5. Direttore, ci sono .... clienti che si lamentano dei nostri rappresentanti.
6. Dicono che in .... mercatini possiamo trovare delle cose carine e a prezzi interessanti.

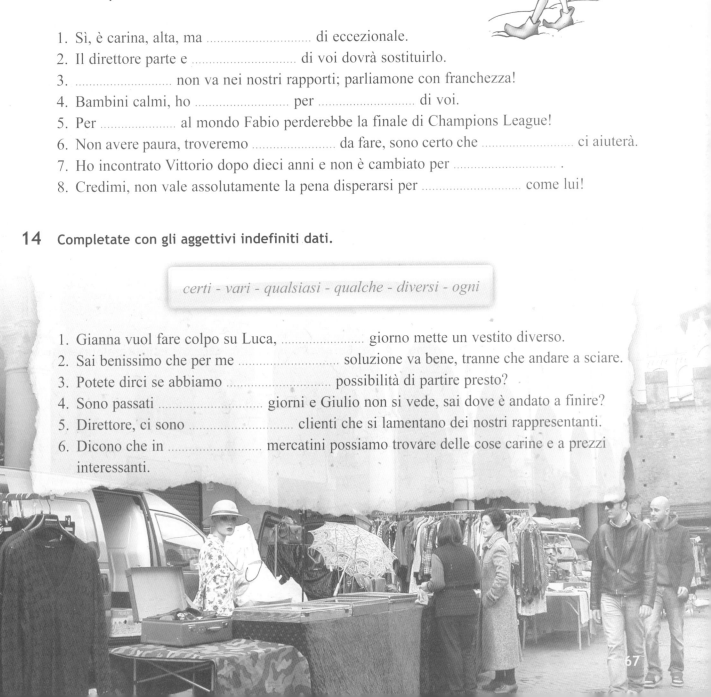

67

15 Scrivete il contrario di quanto affermato nelle seguenti frasi, come da modello.

> Il pranzo è piaciuto a *tutti*.
> *Il pranzo non è piaciuto a nessuno.*

1. *Non* c'è *niente* di strano in lui. ....
2. *Nessuna* soluzione va bene! ....
3. Abbiamo *qualche* possibilità di farcela. ....
4. *Non* abbiamo capito *niente*. ....
5. *Nessuno* di noi è responsabile. ....
6. Va sempre a teatro con *qualcuno*. ....

16 Completate con le preposizioni.

1. Stare (1)............... sole è diventato un vero problema: molti lo adorano, molti altri lo temono. Tutti, però, usano vari metodi (2)............... abbronzarsi; ci sono quelli che sono capaci di stare (3)............... ore sotto il sole e si mettono continuamente creme abbronzanti, ma anche chi, (4)............... paura di scottarsi, non si muove (5)............... sotto l'ombrellone ed esce solo (6)............... sera.

2. *Il paradiso non è qui*. Questo il titolo (1)............... brano inedito di Lucio Battisti, scritto insieme (2)............... Mogol, che verrà presentato (3)............... figlio di quest'ultimo, Francesco Rapetti, (4)............... studenti delle scuole medie (5)............... corso dell'iniziativa "Siamo tutti creativi" organizzata (6)............... Centro Europeo Tuscolano e promossa dalla Regione Lazio.

tratti da La Stampa

17 Collegate le frasi con le forme adatte. Se necessario, eliminate o sostituite alcune parole, trasformate i verbi nel modo e nel tempo opportuni.

1. - Ho letto finalmente quel libro
   - Mara mi aveva parlato molto del libro
   - Il libro non mi è piaciuto

   ....
   ....

2. - Devo finire questo lavoro
   - Mi avevano affidato questo lavoro tre mesi fa
   - Io non l'ho ancora finito

   ....
   ....

3. - Sono stata invitata dal mio direttore a casa sua
   - A casa sua ho trovato sua moglie
   - Sua moglie non era tanto contenta della mia presenza

   ....

   ....

4. - Rodolfo ha dimenticato il cellulare in macchina
   - Rodolfo non ha saputo della festa di Serena
   - Serena ha cercato Rodolfo tutto il giorno

   ....

   ....

5. - Anna parla molto bene l'italiano
   - Ho capito che Anna non è italiana
   - Anna ha ancora un leggero accento straniero

   ....

   ....

6. - Tiziana non ha capito bene la lezione
   - Ho detto a Tiziana che la aiuterò
   - Io, però, ho tantissime altre cose da fare

   ....

   ....

18 **Completate le frasi con uno dei connettori proposti.**

1. Ho telefonato all'albergo .... andremo quest'anno.
   a. dove   b. quando   c. anche   d. che

2. Sono venuto .... ho saputo che stavi male.
   a. da come   b. appena   c. da quando   d. per questo

3. Devo lavorare fino a tardi .... sono stato tutto il pomeriggio fuori.
   a. affinché   b. dopo che   c. quando   d. dal momento che

4. Mettiamo tutto a posto .... arrivino i miei!
   a. poiché   b. senza che   c. prima che   d. sebbene

5. .... strana, la sua risposta mi è sembrata poco educata.
   a. Come   b. Quanto   c. Anche   d. Più che

6. L'ho trattato male .... non faccia più lo stesso errore.
   a. sebbene   b. perché   c. nonostante   d. poiché

19 Completate questo breve testo relativo alla "prima della Scala", una delle serate più importanti per gli appassionati d'opera in Italia.

L'opera in programma, con i suoi protagonisti, i cantanti e il direttore d' (1)............................. prescelto per la grande serata, è solo uno dei due volti del 7 dicembre in piazza della Scala, giorno della "prima", cioè l'inizio della (2)............................. lirica in uno dei più prestigiosi teatri del mondo.

L'altra faccia della stessa serata incomincia (3)............................. dello spettacolo. Fuori, davanti al teatro, centinaia e centinaia di manifestanti (4)............................. sentire un'altra musica: la voce della contestazione, come di consueto. Operai, sindacati (soprattutto quelli dell'*Alfa Romeo*), studenti, gli immancabili animalisti, no global e pacifisti (attori con maschere bianche). Tutti insieme a protestare. Perché si sa, in quel giorno l'(5)............................. dei media è fortissima e l'occasione è perfetta per dare eco alle proprie ragioni. Anche quest'anno, come del resto (6)............................. spesso, nel complesso le contestazioni sono state pacifiche.

Per il resto, tanta amarezza dei curiosi, che come ogni anno si erano avvicinati al tempio della lirica per spiare i (7)............................. famosi, quando si sono trovati davanti a una serie di protezioni e poliziotti per tenere il (8)............................. più distante che mai e sono tornati a casa delusi. "Non è giusto così, che esagerati! Quest'anno non si vede (9)............................., neanche l'arrivo del Presidente", ha commentato un'anziana signora (10)............................. dal suo rituale. E ha girato le spalle alla Scala.

20 Ascolto

Ascoltate il brano e indicate le affermazioni veramente esistenti.

1. Maria Callas studiò al Conservatorio di New York.

2. Tornò in Grecia dopo la separazione dei genitori.

3. Il suo debutto ufficiale avvenne ad Atene.

4. Meneghini, suo marito, era molto più grande di lei.

5. Debuttò alla Scala al posto della sua grande rivale.

6. In America il suo valore fu riconosciuto tardi.

7. Maria Callas e Aristotele Onassis ebbero un figlio.

8. Il suo carattere non piaceva a tutti.

9. Nel suo lavoro era molto esigente con se stessa.

10. Girò anche un film.

TEST FINALE

A Scegliete la risposta corretta.

1. (1)............................ la cortesia, (2)............................ a sentire!

    (1)   a) Mi fai   (2)   a) mi stia
          b) Mi faccia   b) mi sta
          c) Fammi   c) mi stai

2. Signora Stefania, non (1)............................ ascolto alle chiacchiere e (2)............................ la Sua strada!

    (1)   a) dia   (2)   a) segui
          b) dare   b) segue
          c) da   c) segua

3. Signor direttore, se (1)............................ volta non arrivo puntuale in ufficio non (2)............................!

    (1)   a) alcune   (2)   a) preoccuparsi
          b) qualche   b) si preoccupi
          c) quale   c) si preoccupa

4. Ho (1)............................ problemi per la testa che mi arrabbio facilmente con (2)............................ .

    (1)   a) pochi   (2)   a) chiunque
          b) qualsiasi   b) uno
          c) tanti   c) certi

5. In (1)............................ città d'Italia tu vada, c'è sempre (2)............................ di interessante da vedere.

    (1)   a) qualsiasi   (2)   a) qualche
          b) ognuna   b) alcuni
          c) ciascuna   c) qualcosa

6. Carla, (1)............................ telefoni, io non ci sono per (2)............................ .

    (1)   a) chiunque   (2)   a) alcuno
          b) qualunque   b) nessuno
          c) ognuno   c) ciascuno

71

...sto scegliendo il termine adatto.

Imparolopera

...ne d'opera per i giovanissimi
...orazione con il Conservatorio di Musica "Arrigo Boito"
...attore e regia Bruno Stori
Allievi della Scuola di canto del Conservatorio "A. Boito" di Parma
Coordinamento musicale Donatella Saccardi

Le stesse opere che compongono il cartellone della Stagione Lirica, ma ripensate, riviste, rimontate e adattate per il pubblico di (1)............................., per gli allievi delle scuole elementari e medie. Una stagione d'opera pensata appositamente per loro: così si presenta *Imparolopera*, l'(2).............................. del Teatro Regio di Parma che nel corso delle sette precedenti edizioni ha già coinvolto decine di migliaia di bambini (3)........................ .... alla scoperta dell'opera lirica. Questa è la grande novità di *Imparolopera* di quest'anno: una vera e propria (4).............................. parallela che presenta gli stessi titoli della Stagione Lirica. Così la comicità di Rossini della *Pietra del paragone*, il (5)............. .... mondo della Cina delle fiabe e la potenza drammatica della tragedia shakespeariana dei capolavori *Turandot* e *Otello* vivranno sulla scena anche per (6)................... .... bambini e adolescenti. Le opere saranno offerte secondo l'ormai collaudata formula che, utilizzando i migliori allievi delle classi di canto del Conservatorio "Arrigo Boito" di Parma, e con la regia e i testi di Bruno Stori, propone l'opera in un'originale e coinvolgente fusione di canto e recitazione.

adattato da http://www.teatroregioparma.org

1.	a. domani	b. futuro	c. dopodomani	d. ieri
2.	a. impresa	b. iniziativa	c. azione	d. attitudine
3.	a. entusiasmi	b. entusiasmano	c. entusiasmanti	d. entusiasti
4.	a. stanzone	b. stazione	c. stagione	d. stagnina
5.	a. maggiore	b. magico	c. meglio	d. molto
6.	a. tali	b. troppi	c. quanti	d. molti

C   Leggete le definizioni e risolvete il cruciverba.

ORIZZONTALI:
1. Il pubblico quando è soddisfatto fa un lungo...
4. La prima volta di fronte al pubblico.
5. Pavarotti è un famoso ... italiano.
7. Chi scrive la musica di un'opera lirica.
8. Spazio dove stanno gli attori o i cantanti durante lo spettacolo.

VERTICALI:
2. Il testo di un'opera lirica.
3. Quando due o più strade si incontrano.
6. La facciamo per aspettare il nostro turno.

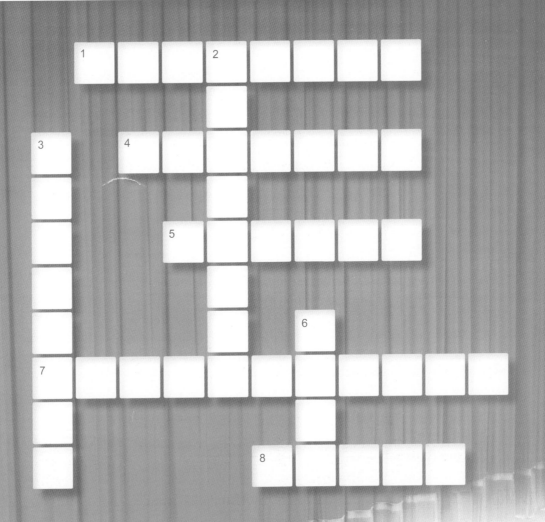

Risposte giuste: /26

2º Test di ricapitolazione (Unità 4, 5 e 6)

A Completate il brano mettendo i verbi tra parentesi al tempo opportuno.

Andai a trovare Danilo dopo molti anni dal nostro ultimo incontro. La domestica (*dirmi*)
(1)............................. che mi aspettava. Quando (*entrare*) (2).............................., (*trovarlo*) (3).......
.... in terrazza che leggeva il giornale. Appena (*vedermi*) (4).............................
non (*sorridere*) (5)............................. e non (*alzarsi*) (6)............................. Mi disse solo che era
contento di rivedermi e mi offrì un caffè. Dopo che mi (*guardare*) (7)............................. atten-
tamente, (*io capire*) (8)............................. che mi aveva scambiato per suo cugino Sergio.

/8

B Completate coniugando i verbi dati al tempo e al modo opportuni.

1. Temo che (*stare*) .... per nevicare.
2. Sebbene (*io conoscerti*) .... solo da poco posso dire che sei un bravo
   ragazzo.
3. Credo che Giovanna (*ritornare*) .... da qualche giorno.
4. Mi auguro di tutto cuore che non (*accadergli*) .... qualcosa di brutto.
5. Mi dispiace che loro (*interpretare*) .... male le nostre parole.
6. È impossibile che Alessandra non (*sapere*) .... niente di questo fatto.

/6

C Completate le frasi con la congiunzione più adatta tra quelle proposte in basso e coniugate
correttamente il verbo tra parentesi.

a patto che   prima di   sebbene   prima che   perché   benché

1. Non capisco mai bene quello che dice, ... lui (*parlare*) .... lenta-
   mente.
2. Devo assolutamente vederti, ... (*tu partire*) ....!
3. Andremo in quel ristorante .... (*pagare*) .... voi!
4. L'avvocato Blasi saluta sempre tutti educatamente .... (*lui uscire*)
   .... dall'ufficio.
5. Ripeto anche a te quello che ho detto ad Alfredo .... (*essere*) ....
   chiaro a tutti voi come dovete comportarvi domani!
6. .... Mauro non (*stare*) .... bene tutta la scorsa settimana, oggi parte
   per la settimana bianca.

/12

D Completate i mini dialoghi con le parole date.

rappresenti   abbia voluto   l'abbia pagata   veramente

1.
- Ti piace la mia macchina? L'ho pagata 10 mila euro di seconda mano.
- Sì, è molto bella! Ma credo che tu .... troppo!

2.
- Bello questo quadro, lo compreresti?
- Sì, è .... bello, ma a dire la verità non capisco cosa ....
- Io penso che il pittore .... rappresentare un tramonto.

/4

E Completate coniugando i verbi dati al tempo e al modo opportuni.

1. Signorina, la prego, (*farmi*) .... parlare col direttore!
2. Giovanotto, (*stare*) .... attento e non (*disturbare*) .... i suoi colleghi!
3. Signora Carla, (*accomodarsi*) ....! Il dottore La aspetta!
4. Se pensa di far prima, (*chiamare*) .... pure un taxi!
5. Signora Claudia, (*rilassarsi*) ....; non è successo niente di grave!
6. La prego, (*dirmi*) .... almeno se c'è un posto sul prossimo aereo.

/7

F Completate le seguenti frasi con gli indefiniti.

1. A pranzo non ho mangiato .... e ora ho una fame da lupi.
2. Di .... cosa avrai bisogno, rivolgiti pure a me!
3. .... cerca di risolvere i suoi problemi come meglio può.
4. Dopo .... chilometro ci siamo accorti di aver sbagliato strada!
5. Direttore, ci sono .... signori che dicono di avere un appuntamento con Lei.
6. È proprio un ragazzo fortunato: ha ...., non gli manca proprio ....!

/7

Risposte giuste: 44

1   Completate le seguenti frasi con il congiuntivo imperfetto, secondo il modello.

> Credo che Stefano sia un tuo amico.
> Credevo che Stefano *fosse* un tuo amico.

1. Crede che voi abbiate ragione.
   Credeva che voi .... ragione, ma si sbagliava.
2. Penso che Paola torni per cena.
   Pensavo che Paola .... per cena, invece ha dovuto fermarsi in ufficio.
3. Credo che Andrea non scriva mai ai suoi.
   Credevo che Andrea .... spesso a Carla.
4. Credo che Lucia e Maria siano italiane.
   Credevo che Lucia e Maria .... italiane e non argentine.
5. Giovanni pensa che tu ami gli animali.
   Giovanni pensava che tu .... gli animali,
   per questo ti ha regalato un cucciolo.
6. I ragazzi pensano che lunedì sia il giorno adatto per partire.
   I ragazzi pensavano che lunedì il
   giorno adatto per partire, ma non avevano previsto lo sciopero dei piloti.

2   Completate secondo il modello.

> Spero che faccia bel tempo.
> *Speravo che facesse bel tempo*, invece ha piovuto.

1. Spero che Costanza venga prima delle due.
   ...., ma evidentemente avrà incontrato traffico.
2. Spero che veda il mio biglietto sul tavolo.
   ...., ma non è nemmeno passata da casa.
3. Sembra che sia una serata interessante.
   ...., invece ci siamo annoiati da morire.
4. Non siamo sicuri che loro abbiano buone intenzioni.
   ...., per questo eravamo un po' diffidenti.
5. Mi pare che la mamma abbia sempre meno pazienza.
   ...., ma non sapevo
   dei problemi che affrontava sul lavoro.
6. Credo che qui facciano la migliore pizza della città.
   ...., invece no.

3 Completate le seguenti frasi con il congiuntivo imperfetto dei verbi dati.

1. Il professore pensava che io (*avere*) .... bisogno di qualche lezione ancora.
2. Era necessario che loro (*consegnare*) .... tutti i documenti necessari prima del termine di scadenza.
3. Era normale che Vittoria (*superare*) .... l'esame, aveva studiato tanto.
4. Ha fatto bene Beppe! Bisognava che qualcuno (*prendere*) .... una decisione! Non potevamo rimandare ancora il problema.
5. Pensavo che Carlo (*finire*) .... l'esercizio prima di noi.
6. Avevo l'impressione che voi (*essere*) .... in compagnia.

4 Completate le frasi con il congiuntivo trapassato, secondo il modello.

> Hai cambiato appartamento?
> Non sapevo che *avessi cambiato* appartamento già da un mese.

1. Era incredibile che (*perdere*) .... la strada, con tanti cartelli stradali in giro!
2. Non sapevo che Lei (*vedere*) .... l'ultimo film di Benigni.
3. Mi sembrava che tu (*andare*) .... in Spagna e non in Olanda.
4. Non immaginavamo che (*finire*) .... prima, altrimenti saremmo venuti a prendervi.
5. Luana credeva che il mazzo di fiori glielo (*mandare*) .... io e non tu.
6. Se ieri sera non (*uscire*) .... avrei senz'altro guardato la partita dell'Inter.

5 Rispondete alle domande usando il congiuntivo trapassato, secondo il modello.

> Lo sai che Luciana è arrivata dal paese? (*tornare ieri*)
> Credevo che *fosse tornata* ieri.

1. Sai che Rossella ha rotto con Lorenzo? (*rompere da un pezzo*)
   ....

2. Lo sai che finalmente ho parlato con il proprietario di casa? (*parlargli la settimana scorsa*)
   ....

3. Lo sai che domani si terrà un convegno sui problemi ambientali? (*tenersi già lo scorso mese*)
   ....

4. Sai che per il concorso mi è servito tanto il tuo libro? (*non servirti affatto*)
   ....

5. Sai che Gloria ha avuto un bambino? (*avere una bambina*)
   ....

6. Sai che andremo in Sardegna? (*andare l'anno scorso*)
   ....
   ....

6 Mettete i verbi tra parentesi al modo congiuntivo e al tempo opportuno.

1. Cara, spero che ti (*piacere*) .... la serata che abbiamo trascorso insieme.
2. Non credevo che Carlo e Antonio (*andare*) .... in pensione l'anno scorso.
3. Siamo felici che tu e Stefano (*arrivare*) .... in orario nonostante il traffico!
4. Non immaginavo che Giorgio (*laurearsi*) .... in tre anni, invece ce l'ha fatta.
5. Avevo paura che non (*capire*) .... quanto gli avevamo detto, invece conoscevano benissimo la lingua italiana.
6. Mi faceva piacere vedere che i bambini (*amare*) .... così tanto il cagnolino che gli avevo portato.

7 Mettete i verbi tra parentesi al modo e al tempo opportuni.

1. Ci pareva strano che Nicola non (*telefonare*) ...., ma non potevamo immaginare che gli (*rubare*) .... il cellulare.
2. Già negli anni '70 gli ambientalisti dicevano che il pianeta (*avere*) .... seri problemi ecologici, ma molti pensavano che (*essere*) .... troppo pessimisti!
3. Non erano certi che il treno (*arrivare*) ...., perché avevano sentito che (*esserci*) .... uno sciopero.
4. Credevo che il marito di Gabriella (*chiamarsi*) .... Andrea. È possibile che non (*ricordarsi*) .... mai i nomi delle persone?!
5. Quando Mario vide l'appartamento non poteva credere che (*costare*) .... così poco.
6. Sapevo che cercavi una casa da comprare, ma non pensavo che (*volere*) .... una villa in mezzo al verde.

8 Mettete i verbi dati al modo congiuntivo, ma al tempo opportuno.

1. *andare via*   Mi pare che Lorenza .... da qualche minuto.
2. *sentirsi*   Non era necessario che voi .... in colpa per nulla!
3. *stare*   Non credo che Dario e Franca .... mai a Parigi.
4. *dare*   Era proprio necessario che tu .... ragione a tua sorella e non a me?
5. *essere*   Non ho telefonato perché pensavo che voi .... stanchi.
6. *fare*   Dubito che tu .... in tempo.
7. *dire*   Era chiaro! Qualcuno non voleva che loro .... la verità!
8. *litigare*   Mi pare che Tina .... con i suoi, per questo non l'hanno lasciata venire.

9   Completate le seguenti frasi con i verbi dati.

> *parlassimo - stessi - andassi - avesse detto -*
> *facessimo - saresti venuto - stessero - desiderassi*

1. Ignoravo cosa .... preparando i bambini e non mi sono accorto di nulla.
2. Lucio, vorrei che .... semplicemente a prepararmi un caffè.
3. Non ti ho telefonato perché pensavo che non .... a casa o che non
.... vedere nessuno.
4. Ero proprio convinto che Fiorenza .... tutto quello che sapeva.
5. Eravamo sicuri che tu non .... con noi.
6. Alle elementari avevo un insegnante che pretendeva che ....
.... sempre attenzione e non .... mai.

10   Completate secondo il modello.

> La Roma ha vinto il campionato perché era la squadra più forte!
> Era normale che la Roma *vincesse* il campionato, era la squadra più forte!

1. Di solito il fine settimana c'è traffico sulle strade perché molti fanno una gita fuori città.
Era logico che il fine settimana ....
2. Ho paura che Paola dica tutto a Michele.
Temevo che ....
3. Forse dovevo parlare io con il cliente che è appena andato via.
Era meglio che ....
4. Mia figlia non mi ha telefonato, ma poi ho saputo che aveva dimenticato il cellulare in treno.
Era strano che ....
5. È necessario che tu rimanga ancora qualche mese in Italia.
Occorreva che ....
6. A Ferragosto non ho trovato nessuna camera libera a Capri!
Era naturale che ....!

11   Completate le frasi scegliendo l'elemento corretto.

1. Ho sempre dubitato che .... vera la notizia della separazione di Elena e Vincenzo.
   a. fosse   b. fosse stata   c. sarebbe stata   d. era

2. .... partissero tutti insieme, perché mio figlio non conosce bene l'italiano.
   a. Era peggio che   b. Era preferibile che   c. Era difficile che   d. Era un peccato che

3. .... noi dimostrassimo a Giorgio quanto gli eravamo amici!
   a. Occorre che   b. Era possibile che   c. Era facile che   d. Era importante che

4. Era strano che Giuseppe .... senza problemi di cambiare lavoro e città.
   a. accettava   b. abbia accettato   c. avesse accettato   d. accetterebbe

5. .... si fosse messo a guidare in quelle condizioni.
   a. Era importante   b. Era incredibile che   c. Era necessario che   d. È tempo che

6. Quando sono andato a trovarlo .... che fosse guarito, invece l'ho trovato
   ancora a letto.
   a. era opportuno   b. dicevano   c. bisognava   d. sembravano

12   Abbinate le frasi scegliendo la congiunzione corretta. Consultate anche l'Appendice
grammaticale.

1. Le ore passarono	*nel caso*	ce ne accorgessimo.
2. Ci guardò	*malgrado*	nulla fosse successo.
3. Gli ha detto che era sposata	*affinché*	le chiedesse un appuntamento.
4. Le lascio la macchina	*senza che*	finisca prima di me.
5. Non ha mangiato niente	*come se*	avesse fame.
6. Li accompagnai in macchina	*prima che*	arrivassero in tempo alla stazione.

13   Scegliete il connettivo corretto e coniugate i verbi tra parentesi.

come se - prima che - a condizione che -
a meno che - benché - affinché - senza che

1. Vi posso dare un passaggio io .... non (*chia-*
   mare) .... già .... un taxi.

2. I bambini non ci hanno detto niente del loro problema ....
   .... non li (*rimproverare*) ....

3. .... Roberto non (*essere*) .... mai .... a Milano, ci si
   muoveva .... ci (*nascere*) ....

2. Se viaggi in aereo, risparmierai molto tempo.

....

3. Se Emanuele torna prima delle otto, usciremo.

....

4. Se sei più sincero, forse sarai anche più simpatico agli altri.

....

5. Se compri un nuovo telefonino, me lo dai il vecchio?

....

6. Se Sara prende più cura di se stessa, è una ragazza bellissima.

....

4   Abbinate le due colonne in modo da ottenere dei periodi ipotetici del 2º e 3º tipo.

1. Se fosse tornato,   a. supererebbe tutti gli esami.
2. Se avesse continuato gli studi,   b. mi avrebbe telefonato.
3. Se Luca si fosse fermato allo stop, c. potremmo andare con la mia macchina.
4. Se non avessimo pagato in contanti, d. avrebbe fatto una brillante carriera.
5. Se Mario studiasse di più,   e. avrebbe evitato l'incidente.
6. Se partissimo insieme,   f. non ci avrebbe fatto lo sconto.

5   Trasformate le frasi formulando dei periodi ipotetici del 3º tipo, secondo il modello.

> Non ti ho telefonato perché era già mezzanotte.
> *Se non fosse stata mezzanotte ti avrei telefonato.*

1. Siamo rimasti senza soldi perché abbiamo speso tanto.

....

2. Mi devi scusare, ma ero occupato e non sono venuto a trovarti.

....

3. Ha passato tutta la serata al computer e non è uscito con gli amici.

....

4. Questa mattina non ho fatto colazione e ora mi gira la testa.

....

5. Non ha seguito le istruzioni e ha danneggiato la stampante nuova.

....

6. Mimmo ti ha chiesto di pagare il conto perché aveva perduto il portafoglio.

....

6   Abbinate le due colonne in modo da ottenere dei periodi ipotetici del 1º, 2º e 3º tipo.

1. Se non avessi risparmiato,   a. ti avrei certamente portato un regalo!
2. Se Patrizia non mi invita,   b. non avrei potuto comprare una casa.
3. Se fosse arrivato,   c. vengo con voi.
4. Se fossi stato a Madrid,   d. mi telefonerebbe.
5. Se si interessasse,   e. non tornare tardi!
6. Se stasera esci,   f. sarebbe tra noi.

7   Completate liberamente le frasi.

1. Se finisci prima, ...
2. Se avete sete, ...
3. Se andate a comprare il giornale, ...
4. Se facesse freddo, ...
5. Se fosse venuta Ilaria, ...
6. Se continuo a star male, ...

8   Completate liberamente le frasi.

1. Se ...., mi avrebbe fatto piacere.
2. Se ...., digli che non mi hai visto.
3. Se ...., non sarei felice.
4. Se ...., ci avrebbe avvisato.
5. Se ...., ~~passavamo~~ una bella serata.
6. Se ...., sarebbe già arrivata.

9   Completate secondo il modello.

Non ho dato retta ai miei amici e adesso mi trovo in questo guaio.
Se avessi dato retta ai miei amici, non mi troverei in questo guaio.

1. Parli in questo modo perché non hai visto la trasmissione.

....

2. Non ho mangiato niente perché non mi sentivo bene.

....

3. Mi hanno aiutato e non sono alla ricerca di una casa.

....

4. Sono ingrassato durante l'inverno e sono costretto a fare la dieta.

....

5. Il treno non è partito in orario e non sono ancora a casa.

....

6. Non siamo andati con loro e adesso non siamo a Budapest.

....

10 **Trasformate le frasi secondo il modello. Consultate anche l'Appendice grammaticale.**

> Mi ha telefonato Carlo per andare a teatro. Che dici? Vado a teatro?
> *Mi ha telefonato Carlo per andare a teatro. Che dici? Ci vado?*

1. Voleva sapere se abitavo a Milano. Io gli ho risposto che non abitavo più a Milano.

....

2. Franco ha accompagnato me e mia sorella alla stazione.

....

3. Sandra ha telefonato a noi.

....

4. Mi ha chiesto se avessi la macchina. Gli ho risposto che non avevo la macchina.

....

5. Paolo si veste elegantemente. Anch'io mi vesto elegantemente.
   Noi

6. La situazione è complicata. Non capisco niente.

....

7. Voleva sapere se avevo creduto alle loro parole. Gli ho detto che credevo ciecamente alle loro parole.

....

8. Vorrei visitare l'Italia. Non sono mai stato in Italia.

....

11 **Trasformate le frasi secondo il modello. Consultate anche l'Appendice grammaticale.**

> Ti piace il caffè? Io vado matto per il caffè e bevo 5 o 6 caffè al giorno!
> *Ti piace il caffè? Io ne vado matto e ne bevo 5 o 6 al giorno.*

1. Volevo telefonare a Martina. Però mi sono dimenticato di telefonare a Martina.

....

2. A Lorella piace Ennio. Lorella è innamorata cotta di Ennio.

....

3. Alla mia festa aspettavo molte persone. Non immaginavo però che sarebbero venute tante persone.

....

4. Claudio si è lasciato con Nicoletta. Da allora non vuole sentire parlare di Nicoletta.

....

5. E la torta? L'avete mangiata tutta? Non è rimasto neppure un pezzetto di torta.

....

6. Non ho comprato tutti i cd che volevo. Ho comprato solo alcuni cd.

....

12 **Completate le seguenti frasi inserendo _ci_ o _ne_.**

1. Oltre ai computer hai qualche altra passione?
   .... coltivo una da quando ero bambino: la musica.
2. Sei contento della scelta di tuo figlio?
   Non solo... .... sono entusiasta.
3. Hai visto che bello quel vecchio modello di _Vespa_?
   Eh sì... bellissimo: mio padre .... l'aveva proprio uguale!
4. Vai a Pisa?
   No, ... sono stato ieri.
5. Come è andata la vacanza in campeggio?
   Molto bene, ... siamo divertiti un sacco!
6. Come va il nuovo lavoro, Giulia?
   Sono troppo esigenti, non .... la faccio più.
7. Com'è andata la serata di ieri con gli amici?
   Non me .... parlare... una noia!
8. Abbiamo ancora cereali?
   Ce .... dovrebbe essere una scatola nello scaffale in alto.

13 **Completate il testo scegliendo il termine adatto tra quelli dati.**

Per scambiarsi gli auguri di Natale a distanza oggi (1)........................ avere un telefonino. Non tanto per chiamare e augurare il Buon Natale a voce. Questo è assolutamente (2)........................ E neppure per guardare in volto l'amico del cuore che si trova dall'altra parte del pianeta (3)........................ a una video-chiamata. Anche questa è, ormai, preistoria.

Da oggi è sufficiente disporre della connessione _Bluetooth_ sul cellulare, (4)........................ una speciale T-shirt per abbracciare i propri cari proprio come se questi fossero presenti. La rivoluzionaria maglietta – _Hug Shirt_ ovvero "maglietta che abbraccia" – è dotata di speciali sensori che si attiva-no con il calore corporeo e con una leggera pressione delle mani su un'ap-plicazione che (5)........................ il telefono.

È sufficiente abbracciare se stessi perché la persona lontana senta l'abbrac-cio sul (6)........................ corpo tramite una pressione e un aumento della tem-peratura della propria T-shirt. Naturalmente si può anche ricambiare l'ab-braccio.

La maglietta, confortevole e (7)........................ con un tessuto misto tra cotone e microfibra, è stata ideata dalla _Cutecircuit_, una società specializzata in ma-teriali (8)........................, e sarà distribuita a breve.

adattato da _http://cellulari.alice.it_

1.   a. sufficiente   b. necessariamente   c. basta
2.   a. importante   b. proibito   c. banale
3.   a. merito   b. grazie   c. tramite
4.   a. mostrare   b. vestirsi   c. indossare
5.   a. attiva   b. apre   c. spegne
6.   a. particolare   b. proprio   c. loro
7.   a. formata   b. costruita   c. realizzata
8.   a. contemporanei   b. innovativi   c. futuri

14 **Completate liberamente le frasi.**

1. Se vendo la mia casa in centro, ...
2. Se vincessimo al totocalcio, ...
3. Se ci fossimo incontrati dieci anni fa, oggi ....
4. Se studiate oggi, domani ....
5. Se me ne fossi andato in quell'occasione, ora ....
6. Se Giulia avesse ricevuto la promozione a direttrice, ...
....

15 **Completate con le preposizioni.**

Difficile resistere alla tentazione di inserire le classiche "faccine" nei messaggi, (1)................
email o negli SMS. Nati nei lontani anni '80 quando Internet e i pc erano diffusi solo
(2)................ università e centri di ricerca, il loro scopo era e rimane tutt'ora quello di rappresentare uno stato d'animo o di commentare il carattere serio, semi-serio o scherzoso di una
frase scritta. La loro nascita si deve probabilmente (3)................ professor Scott Fahlman, do-
cente all'università Carnegie Mellon, che nel settembre 1982 aveva suggerito l'introduzione
dei caratteri :-) (4)................ denotare il tono scherzoso di un argomento di una email. Da lì,
l'inserimento delle *emoticon* si è diffuso in altre università e, soprattutto, (5)................ ogni
Paese. Più che una moda ormai rappresentano un segno di radicata cultura Internet e in parte
indicano quanto sia difficile, (6)................ tempi moderni, comunicare il proprio stato d'animo
tramite semplici parole scritte, dalle email (7)................ SMS. In ogni caso testimoniano quanto il detto "un'immagine vale quanto mille parole" sia tutt'ora più che valido ;-).

16 Ascolto

Ascoltate il brano e completate le frasi (massimo 4 parole).

1. Vorrei vedere un ....

2. Design bellissimo, schermo al plasma ....

3. Comunque, è un sistema all'avanguardia che le permette di ricevere ....
...., collegarsi a internet...

4. Lei potrà guardare più canali contemporaneamente e scegliere quello ....
....

5. Ecco, questo è meno grande, ... in sala.

6. In più, può memorizzare le abitudini ....

7. Non avrei mai immaginato che .... così.

8. Senti, giovanotto, ci sarebbe qualcosa ....?

TEST FINALE

A   Scegliete la risposta corretta.

1. - Se tutti gli uffici del Comune (1)........................... il computer non ci sarebbe bisogno di aspettare una settimana per un certificato.
- (2)........................... che ci siano ancora uffici senza computer!

   (1)   a) avessero avuto   (2)   a) Ma è assurdo
        b) avessero   b) Complimenti
        c) abbiano avuto   c) Non si può andare avanti così

2. Non sarei venuto da te se non (1)........................... sicuro che mi (2)........................... .

   (1)   a) sarei   (2)   a) aiutavi
        b) fossi   b) hai aiutato
        c) sia   c) avresti aiutato

3. Se Tommaso non (1)........................... fin da piccolo la tv a un metro di distanza, ora non (2)........................... degli occhiali da vista.

   (1)   a) avesse guardato   (2)   a) bisognasse
        b) avrebbe guardato   b) bisognava
        c) guardasse   c) avrebbe bisogno

4.   Se (1)............................., (2)............................. .

(1)   a) era arrivato   (2)   a) ne telefonerebbe
       b) arrivasse   b) ci avrebbe telefonato
       c) fosse arrivato   c) si sarebbe telefonato

5.   Se (1)............................ tanto questi dolcetti, (2)............................ tutti!

(1)   a) ti piacciono   (2)   a) mangiali
       b) ti piacessero   b) mangiatene
       c) ti piaceranno   c) mangiateci

6.   - Antonio! Ma quanti libri (1).............................?
      - Quanti? (2)............................ solo due!

(1)   a) comprarti   (2)   a) Ne ho preso
       b) compravi   b) Ci ho presi
       c) hai comprato   c) Ne ho presi

B   Abbinate le due colonne completando le frasi.

1. Fammi sapere   a. forse sarebbe arrivata in orario.
2. Usciremmo più spesso,   b. partirei per una vacanza anche domani.
3. Se sei stanco,   c. se ti serve una mano.
4. Se Elena avesse messo la sveglia, d. vai a casa!
5. Se avessi la possibilità,   e. se non dovessi lavorare tanto.

C   Completate con le preposizioni.

È Antonio Meucci l'inventore del telefono. Il dovuto riconoscimento (1)........................ genio italiano è giunto con un po' di... ritardo. Infatti, a più di un secolo (2)........................ sua morte, il Congresso degli Stati Uniti (3)........................ America ha riconosciuto ufficialmente a Meucci il merito di avere inventato il telefono. È stata fatta giustizia (4)........................ una questione durata anni e che aveva visto, ingiustamente, Graham Bell entrare (5)........................ possesso del brevetto del nostro connazionale, sbarcato negli Usa (6)........................ ricerca di fortuna.
I libri di storia e le enciclopedie sono state riscritte (7)........................ onore del padre di un'invenzione che ha rivoluzionato la nostra vita di tutti i giorni.

adattato da *http://cellulari.alice.it/news*

D   Leggete le definizioni e risolvete il cruciverba.

ORIZZONTALI:

1. @ in italiano.
4. La utilizziamo per scrivere al computer.
6. E-mail in italiano: posta ...
7. Unità di misura dell'elettricità.
8. Detto di computer che possiamo trasportare con facilità.

VERTICALI:

2. Inserire un programma nel computer.
3. Un sinonimo di "viaggiare per mare", di "muoversi" in Internet.
5. Il telefono è stata un'... di Meucci.

Risposte giuste: /32

1   Trasformate le seguenti frasi alla forma passiva, secondo il modello.

> Alessio carica i bagagli sulla macchina.
> I bagagli *sono* (*vengono*) *caricati* sulla macchina da Alessio.

1. Tutti considerano Leonardo da Vinci un genio.

....

2. Il direttore scrive personalmente la lettera di ringraziamento.

....

3. Molti attori frequentano questo ristorante.

....

4. I bambini colorano le pareti della classe.

....

5. La polizia, grazie a numerose telecamere, controlla ogni settore dello stadio.

....

6. Molti amano l'arte italiana.

....

2   Come il precedente.

1. Il professor Bruni spiega benissimo la matematica.

....

2. La nostra direttrice legge sempre i documenti da firmare.

....

3. Molti prendono le ferie in luglio.

....

4. Gabriella corregge gli esercizi d'italiano.

....

5. Giacomo esegue la quinta di Beethoven al pianoforte.

....

6. Migliaia di persone visitano ogni anno la Galleria degli Uffizi.

....

3 Trasformate le seguenti frasi con il verbo alla forma passiva, come da modello.

> Carlo ha venduto la casa in montagna.
> La casa in montagna *è stata venduta* da Carlo.

1. Tutti i giornali hanno riportato la notizia del furto agli Uffizi.

....

2. Lucia ha comprato la macchina di Sergio.

....

3. Stefano ha interpretato male le mie parole.

....

4. Mia madre ha chiamato mio fratello più di una volta.

....

5. La polizia ha subito interrogato tutte le persone sospette.

....

6. La mia squadra ha vinto ancora una volta il campionato.

....

4 Trasformate le frasi con il verbo al futuro alla forma passiva.

1. Gli esperti troveranno sicuramente una soluzione al problema.

....

2. Penso che tutti dimenticheranno presto questa canzone.

....

3. Mario prenoterà un viaggio a Miami.

....

4. I nostri tecnici ripareranno il guasto entro un'ora.

....

5. Non vi preoccupate, i bambini tratteranno benissimo il gattino.

....

6. Nel museo della nostra città esporranno opere di Caravaggio.

....

5 Trasformate le seguenti frasi con il verbo al condizionale alla forma passiva.

1. Pensavo che una ditta specializzata avrebbe ristrutturato il palazzo.

....

2. In caso di temperature elevate, il sindaco prenderebbe delle misure d'emergenza.

....

3. Dicevano che Paola avrebbe invitato Carlo.

....

4. Credevi veramente che questo governo avrebbe abbassato le tasse?

....

5. Pensi che la polizia accetterebbe la tua versione?

....

6. Il fortunato vincitore avrebbe acquistato il biglietto nel bar sotto casa.

....

6   **Trasformate le frasi con il verbo al congiuntivo alla forma passiva.**

1. Penso che sua madre non lo incoraggi abbastanza.

....

2. Temo che mio padre venda la macchina a un prezzo troppo basso.

....

3. Mi pareva che Sergio avesse accompagnato i ragazzi.

....

4. Credo che molti VIP frequentino questo locale.

....

5. Aveva paura che nessuno leggesse il suo libro.

....

6. Non so quanti italiani leggano *La Gazzetta dello Sport*.

....

7   **Abbinate le due colonne.**

1. Ma sul serio	a. è così, vero?
2. Non scherzo mai	b. che siano riusciti a vincere.
3. Dimmi che è andato tutto bene:	c. abbiano detto la verità.
4. Ti posso garantire che	d. quando si tratta del nostro futuro.
5. Non c'è dubbio che i ragazzi	e. sei stato in India?
6. È davvero incredibile	f. è stata una magnifica serata!

8   **Trasformate le frasi con i verbi modali *potere* e *dovere* alla forma passiva, secondo il modello.**

> Soltanto i genitori possono giustificare sempre i figli.
> I figli *possono essere* sempre *giustificati* soltanto dai genitori.

1. Penso che pochi possano comprare una villa così grande.

....

2. Solo un grande scrittore poteva scrivere un libro così.

....

3. Il medico deve visitare assolutamente il bambino.

....

4. Non tutti possono leggere un articolo difficile come questo.

....

5. Gli studenti devono rispettare i professori e viceversa.

....

6. Potete acquistare questo prodotto in qualsiasi supermercato.

....

9 **Rispondete alle domande secondo il modello.**

> Chi potrebbe acquistare questo quadro? (*un gallerista*)
> *Potrebbe essere acquistato* da un gallerista.

1. Chi dovrebbe correggere questi test? (*la professoressa*)

....

2. Chi può scrivere una sentenza? (*un giudice*)

....

3. Chi può vendere un orologio tanto antico? (*un antiquario*)

....

4. Chi deve mettere in ordine la camera? (*i ragazzi*)

....

5. Chi dovrebbe interrogare i sospettati? (*il commissario*)

....

6. Chi potrebbe ottenere certi risultati? (*un atleta professionista*)

....

10 **Trasformate le frasi alla forma passiva con il verbo *andare*.**

> Le ragazze non possono tornare da sole: devono essere accompagnate.
> Le ragazze non possono tornare da sole: *vanno accompagnate*.

1. È il museo d'arte moderna più importante d'Italia; deve essere visitato.

....

2. Questo lavoro deve essere consegnato entro domani.

....

3. La parte finale del libro deve essere letta con attenzione.

....

4. I formaggi devono essere tenuti in frigo.

....

3 Consultate l'Appendice grammaticale e trasformate le seguenti frasi dal discorso diretto al discorso indiretto.

1. "Non sono stato io a parlare male di Gianna."
   Poco fa Carlo mi ha detto che ....

2. "Secondo me, non avresti dovuto dire niente a nessuno, nemmeno al tuo ragazzo."
   Maria mi disse che ....

3. "Non so dove siano i tuoi occhiali!"
   Cinque minuti fa le ho detto che ....

4. "Andai al mare, ma non feci il bagno."
   Aveva detto che ....

5. "Non riuscirei mai a imparare una lingua come l'arabo: troppo difficile."
   Paolo disse che ....

6. "Ho saputo che mio cugino frequenta un corso di tango con la ragazza."
   Ha saputo che ....

4 Come il precedente.

1. "Credo sia arrivata in aereo, non in treno."
   Credeva che Gianna ....

2. "Comprerò una macchina a mio figlio!"
   Ha detto poco fa che ....

3. "Sono stanco morto: faccio una doccia e vado a dormire."
   Disse che ....

4. "Penso che Lei abbia sempre ragione."
   Luca pensava che l'avvocato ....

5. "È meglio preparare la camera degli ospiti prima del loro arrivo."
   Aveva detto che ....
   ....

6. "Sono stato a Londra, ma andrò anche a Dublino."
   Aveva detto che ....
   ....

5 Trasformate le frasi che seguono al discorso indiretto.

1. "Lucio, mi sembra incredibile che tu abbia imparato il tedesco in soli due mesi!"
Sara ha detto a Lucio che _____

2. "La trama del film è interessante, ma la protagonista è un disastro."
Ce l'aveva detto che _____

3. "Forse non andrò all'università!"
Disse che _____

4. "Secondo me avresti dovuto telefonarle tu."
Vincenzo mi disse che _____

5. "Preferisco prendere un taxi; forse solo così arriverò in tempo."
Roberta ha detto che _____

6. "Marta non sta bene e non potrà venire al concerto di Ligabue."
Marta mi ha detto poco fa che _____

6 Abbinate le frasi delle due colonne.

1. Hai sentito che Lucia è partita per l'India?

2. Antonio, non comportarti così in pubblico!

3. Hai sentito che Claudio e Anna Maria si sono lasciati?

4. Caro, domani verrai con me a fare spese?

5. Sergio è veramente coraggioso: immagina che si lancia anche col paracadute!

6. Che dici? Carlo verrebbe con noi alla presentazione di un libro?

a. Mah... Lo sai bene che non gli importa niente di letteratura.

b. E con ciò? Anch'io ne sarei capace...

c. Perdere l'intero pomeriggio in giro per i negozi? Non mi interessa affatto!

d. Ma chi se ne frega! Che facciano quello che vogliono!

e. Me ne infischio di cosa pensano gli altri!

f. E allora?! Io non la vedo da una vita...

7 Trasformate le frasi secondo il modello. Consultate anche l'Appendice grammaticale.

> Mi ha detto che mi avrebbe telefonato il giorno dopo.
> "*Ti telefonerò domani*".

1. Disse che quella era una cifra troppo alta per le sue possibilità.
" _____ "

2. Si lamentava che il giorno dopo avrebbe dovuto pagare l'affitto, ma non aveva i soldi.

"..."

3. Disse che quel giorno avrebbe lavorato di più, perché era necessario.

"..."

4. Ha detto che quella sera era molto felice.

"..."

5. Raccontò che aveva visto Carmen due giorni prima, ma non gli aveva detto nulla.

"..."

6. Disse che aveva visto la sua ragazza una settimana prima.

"..."

7. Ha detto che il giorno dopo sarebbe tornato più tardi del solito.

"..."

8. Disse che quella era la casa dove era nato Dante Alighieri.

"..."

8   **Trasformate le seguenti frasi dal discorso diretto al discorso indiretto.**

1. "Domani ti telefonerò e usciremo insieme."
   Le disse che ....

2. "Ora non ho un soldo, ma un giorno ne avrò tantissimi."
   Lo aveva detto che ....

3. "Un mese fa ho avuto un incidente stradale."
   Ha detto che ....

4. "I miei sono tornati ieri dalle vacanze."
   Poco fa mi ha detto che ....

5. "Non mi pare che voi abbiate torto; almeno in questa occasione."
   Rossana ha detto che ....

6. "Mi dispiace, Gianna è uscita cinque minuti fa."
   Simone ha detto che ....

7. "Se volete, potete entrare; penso che a quest'ora Gino stia per tornare."
   Gli aveva detto che ....

8. "Due anni fa ero a Torino come inviato del *Corriere della sera*."
   Disse che ....

   ....

9   Trasformate le seguenti frasi al discorso indiretto, secondo il modello.

> "Ragazzi, abbassate il volume del televisore!"
> Ci disse *di abbassare* il volume del televisore.

1. "La mia casa è sempre aperta per gli amici; venite pure quando volete!"
   Ci disse che ....

2. "Venga subito nel mio ufficio!"
   Le ha detto ....

3. "Vattene!"
   Gli ha detto ....

4. "Non vi preoccupate, portate pure i vostri amici!"
   Ci hanno detto ....

5. "Cosa fate nel fine settimana?"
   Ci chiese ....

6. "Chi sono quei ragazzi che ti aspettano in piazza?"
   Mi hanno chiesto ....

10   Come il precedente.

1. "Non essere timido con Gloria: invitala a cena!"
   Mi ha detto ....

2. "Francesco uscirà o resterà a casa?"
   Ci ha chiesto se ....

3. "Mi puoi aspettare sotto il portone di casa tua?"
   Giorgio mi ha chiesto se ....

4. "Ti sei divertita con i tuoi amici?"
   Le ho chiesto ....

5. "Quando verrai a cena da noi?"
   Mi ha chiesto ....

6. "Marco, va' a prendere il prosciutto dal salumiere!"
   Disse a Marco ....

11   Consultate l'Appendice grammaticale e trasformate secondo il modello.

> "Se non mi chiamerà lui, gli telefonerò io."
> *Ha detto che se non l'avesse chiamata, gli avrebbe telefonato lei.*

1. "Se decidi di partire in macchina, verrò con te."
   Mi ha appena detto che se ....

2. "Se riesco a superare anche questo colloquio, mi assumeranno!"
   Carla mi ha detto che se domani ....

3. "Se non avessi studiato, non avrei passato questo esame."

   ....

4. "Chiudi tutte le finestre, se esci di casa per ultimo."

   ....

5. "Se avessi tempo, andrei a vedere quella mostra sull'arte
   precolombiana."

   ....

12 **Come il precedente.**

1. "Mi sarebbe piaciuto, se tu fossi venuto con noi."

   ....

2. "Se avessi un po' di tempo libero, verrei a trovarti."

   ....

3. "Se potessi, prenderei non una, ma quattro settimane di ferie."

   ....

4. "Se corri in questo modo, non posso seguirti."

   ....

5. "Telefonami subito, se ci saranno novità."
   Riccardo mi ha detto poco fa che se ....

13 **a) Leggete il seguente dialogo tra Claudia e sua madre e riscrivete la conversazione usando
il discorso indiretto.**

Claudia: Mamma, dove hai messo la mia gonna?
Madre: Quale gonna? Ne hai tante!!!
Claudia: Quella blu che ho comprato una settimana fa!
Madre: Ah, quella! È nell'armadio, no?
Claudia: No, non c'è!
Madre: Guardaci bene, sono sicura che è lì!

Ieri Claudia ....

....

....

....

....

....

b) Ora leggete il racconto della seconda parte del dialogo tra Claudia e sua madre e riportatelo al discorso diretto.

Claudia risponde a sua madre che ci ha già guardato due volte e che la gonna non c'è nell'armadio. Inoltre, le chiede perché mette le sue cose sempre dove non le trova.

La madre replica a Claudia di non dire così, perché non è vero, e che sicuramente ha indossato la gonna qualche giorno prima e ora non si ricorda più dove l'ha messa.

Claudia dice di no alla mamma e aggiunge che gliel'aveva data da lavare due giorni prima e perciò l'aveva messa lei da qualche parte.

La madre le risponde che avrebbe guardato lei stessa nell'armadio della figlia. Infatti, guardando meglio trova la gonna e prega Claudia di essere meno distratta!

Claudia: ....

....

Madre: ....

....

Claudia: ....

....

Madre: ....

....

14 **Trasformate come da modello.**

> "Uscirò con un mio vecchio amico".
> *Dice che uscirà con un suo vecchio amico.*
> *Ha detto che sarebbe uscito con un suo vecchio amico.*

1. "Siamo molto stanchi e andiamo a dormire."
   Dicono che ....
   Hanno detto che ....

2. "Se ritornerò presto ti telefonerò."
   Mi dice che ....
   Mi ha detto che ....

3. "Spegni la radio, non posso studiare!"
   Dice ....
   Ha detto ....

4. "Vado da Giovanni, non mi aspettare per cena."
   Alessandra dice che ....
   Alessandra ha detto che ....

5. "Se avessi ascoltato i consigli di Eleonora, ora non mi troverei nei guai."

Dice che ....

Ha detto che ....

6. "Sono stanco di aspettare senza far niente."

Dice che ....

Ha detto che ....

15 **Completate il testo con le preposizioni.**

Noi donne dobbiamo capire che il passato non c'è più e che non esiste più un certo tipo (1).............. società e (2).............. mentalità; dobbiamo confrontarci (3).............. mondo d'oggi, con la società (4).............. cui viviamo e con quello che produce. Le famiglie d'oggi (5).............. un solo figlio, con entrambi i genitori che lavorano, non sono schiave del consumismo: (6).............. realtà devono fare i conti (7).............. bollette, il mutuo o l'affitto, e le irrinunciabili spese (8).............. semplice sopravvivenza.

tratto da *Donna & mamma*

16 **Come il precedente.**

Dopo aver fritto patatine e crocchette, l'olio utilizzato (1).............. fast food inglesi di McDonald's non verrà buttato, ma riciclato come biocarburante: come ha annunciato la catena americana il biocarburante servirà (2).............. alimentare i motori degli autoveicoli destinati (3).............. effettuare le consegne. Secondo i responsabili, l'iniziativa consentirà di ridurre le emissioni (4).............. CO_2 di circa 1.700 tonnellate l'anno. Sembra uno scherzo ma è tutto vero. A questo punto, riconoscendo la "non-santità" di questa multinazionale, viene (5).............. chiedersi se l'olio di frittura "griffato" McDonald's potrebbe essere davvero utilizzato dalla compagnia (6).............. inquinare meno. Oppure sarà la solita trovata del marketing (7).............. farsi ulteriore pubblicità utilizzando l'ecologia, che va tanto (8).............. moda, per sembrare un'azienda politically correct...

adattato da *http://oknotizie.alice.it*

17 Ascolto

Leggete le affermazioni che seguono e dopo ascoltate il brano, tratto da una trasmissione radiofonica dedicata al tema del lavoro. Indicate le cinque informazioni veramente presenti.

1. Con la scusa degli *stage* molte aziende utilizzano mano d'opera gratuita.

2. I nuovi contratti danno una grande sicurezza economica ai giovani d'oggi.

3. L'acquisto di una casa per chi ha contratti a progetto diventa sempre più difficile.

4. Il precariato è un problema che riguarda solo i giovani sotto i 30 anni.

5. Valerio lavora, ormai da 5 anni, con un contratto di lavoro a tempo indeterminato.

6. Valerio ha una famiglia da mantenere.

7. Sabrina si accontenterebbe anche di un lavoro per pochi mesi.

8. Sabrina si sente profondamente offesa nella propria dignità.

9. Alessandro lavora come responsabile di un museo d'arte moderna a Firenze.

10. Alessandro tornerà a vivere con i suoi genitori a Lecce.

TEST FINALE

A Scegliete la risposta corretta.

1. "Avrei tante cose da dire sul tuo conto."

   a) Ha detto che ha avuto tante cose da dire sul mio conto.
   b) Ha detto che avrebbe tante cose da dire sul mio conto.
   c) Ha detto che aveva avuto tante cose da dire sul mio conto.

2. Ha detto che era una persona semplice e che cercava solo di vivere al meglio la sua vita.

   a) "Sono una persona semplice e cerco solo di vivere al meglio la mia vita."
   b) "Sono una persona semplice e cerca solo di vivere al meglio la sua vita."
   c) "Ero una persona semplice e ho cercato solo di vivere al meglio la mia vita."

3. "Non ti fermare in questo Autogrill perché non si mangia bene."

   a) Mi ha detto di non fermarti in quest'Autogrill perché non si mangiava bene.
   b) Mi ha detto di non fermarci in quell'Autogrill perché non si mangia bene.
   c) Mi ha detto di non fermarmi in quell'Autogrill perché non si mangiava bene.

5 Completate le frasi usando l'infinito presente, secondo il modello.

> Luca è tornato alle 3 del mattino.
> *Tornare* così tardi il giorno prima di un esame!?

1. Non mangiare troppi gelati, ti fanno male!
   .... troppi gelati fa male.
2. Quando parliamo sempre delle stesse cose annoiamo chi ci ascolta.
   .... sempre delle stesse cose annoia chi ascolta.
3. Ho sentito mia madre che si alzava alle 6 di mattina.
   Ho sentito mia madre .... alle sei di mattina.
4. Vuoi che sia sincero? Il tuo vestito non mi piace proprio!
   A .... sincero, il tuo vestito è proprio brutto.
5. È molto facile che ci si capisca immediatamente quando si è cresciuti insieme.
   È molto facile .... immediatamente quando si è cresciuti insieme.
6. Vedo che non hai ancora smesso di fumare!
   .... di fumare? Ci ho provato tante volte!

6 Abbinate le due colonne.

1. I passeggeri sono pregati di	a. lasciare il proprio messaggio.
2. La porta si apre verso l'esterno:	b. non toccare la merce esposta.
3. In ospedale è severamente	c. spingere, prego.
4. Dopo l'apposito segnale acustico	d. allacciare le cinture di sicurezza.
5. Ma che dieta! Ho visto Dario	e. girare la chiave.
6. Per ulteriori informazioni,	f. vietato fumare.
7. Per mettere in moto,	g. mangiare una pizza enorme.
8. Si prega la gentile clientela di	h. rivolgersi alla segreteria.

7 In base al significato, rispondete alle domande utilizzando il tempo semplice (presente) o composto (passato) del gerundio o dell'infinito.

> Perché Carlo non è venuto? (*andare – avere*)
> Deve *aver avuto* un po' di febbre e deve *essere andato* dal medico.
> *Avendo avuto* un po' di febbre ha preferito restare a casa.

1. Maria non è ancora rientrata? (*passare – andare*)
   Deve .... a prendere qualcosa al supermercato.
   .... dal centro sarà entrata in qualche negozio.

2. Tu dici che ci hanno preso in giro? (*pensarci – dare*)
   Non conoscendoli abbastanza possono .... questa
   impressione! Ma .... bene è possibile.

3. Dov'è Alberto? (*fermarsi – tornare*)
   .... dal lavoro può .... da sua madre.

4. La famiglia Covelli quest'anno non va in vacanza? (*avere*)
   Non credo: da quello che so, devono .... qualche problema
   economico.

5. È possibile che Valerio sia ancora in ufficio? (*avere – rimanere*)
   .... molto lavoro in questo periodo può
   .... in ufficio.

6. Conosci il ristorante *La Cambusa*? (*esserci*)
   Mi sembra di .... un paio di volte.

8 **Come il precedente.**

1. Come hai fatto a capire che sono straniero? (*parlare*)
   .... fai gli errori tipici degli stranieri.

2. Vivi un periodo molto bello, vero? (*diventare*)
   Sì! Dopo il matrimonio mi sembra di .... un'altra persona.

3. Parlate veramente bene l'italiano, come mai? (*vivere*)
   .... in Italia per tre anni abbiamo imparato bene la lingua.

4. Anna è andata in montagna? (*andare – finire*)
   Può darsi. Del resto .... con gli esami può
   .... qualche giorno a rilassarsi in montagna.

5. Hai saputo niente del nuovo concorso? (*sentirne*)
   Se non sbaglio, mi sembra di .... parlare da Giulio.

6. Perché Paolo non viene a sciare? (*smettere*)
   Dopo quella brutta caduta deve ....
   di sciare.

9 **Trasformate con il participio presente, come da modello.**

> È uno che ama la buona cucina.
> È un *amante* della buona cucina.

1. È una cosa che preoccupa veramente.
   È una cosa veramente ....

2. Abbiamo chiesto informazioni ad uno che passava.
   Abbiamo chiesto informazioni ad un ....

3. Secondo me, i test con le parole che mancano sono un po' difficili.

Secondo me, i test con le parole .... sono un po' difficili.

4. Papà, sai chi conduceva l'autobus? Il tuo amico Gigi.

Il .... dell'autobus era il tuo amico Gigi.

5. È una persona che affascina tutti.

È una persona molto ....

6. Quelli che manifestavano hanno gridato slogan contro il governo.

I .... hanno gridato slogan contro il governo.

10   Completate secondo il modello.

> *pesare*   Il film è stato veramente *"pesante"*.

1. *rilassare*   Il mare ha su molte persone un effetto ....
2. *sorridere*   Ci hanno accolto delle belle ragazze ....
3. *scadere*   Questo vestito è di qualità ....
4. *rinfrescare*   Questo profumo ha un effetto ....
5. *promettere*   È un'attrice ....
6. *pendere*   La Torre .... si trova a Pisa.

11   Completate con il participio passato, come da modello.

> *studiare*   Si tratta di un piano *studiato* nei minimi particolari.

1. *scegliere*   .... la casa, dovevamo trovare i soldi per pagarla.
2. *amare - rispettare* Mario è una persona .... e ....
3. *promettere*   Ha fatto una .... che non potrà mantenere.
4. *invitare*   Gli .... sono andati via tardi.
5. *finire*   .... la lezione, siamo tornati a casa.
6. *attendere*   Guardava continuamente l'orologio come in .... di qualcosa.

12   Come il precedente.

1. *perdere*   .... il treno, abbiamo dovuto aspettare quasi 3 ore quello successivo.
2. *accompagnare*   .... i bambini a scuola, ho riportato la macchina a casa e ho preso l'autobus.

3. *chiudere*   Tengo la mia corrispondenza in un cassetto .... a chiave.

4. *costruire*   È una casa .... con materiali di ottima qualità.

5. *passare*   Un pomeriggio .... con te è sempre un piacere.

6. *leggere*   Spesso i libri .... in gioventù si capiscono meglio rileggendoli nella maturità.

13 **Trasformate con questi suffissi:** *ino / ello / etto / one / accio*

1. Nel mio paese c'è una piccola piazza con una fontana del '500.
   Nel mio paese c'è una .... con una fontana del '500.

2. Sono nato in un piccolo paese della Calabria.
   Sono nato in un .... della Calabria.

3. Ho scritto appena una pagina.
   Ho scritto appena una ....

4. È veramente un cattivo ragazzo.
   È veramente un ....

5. Possiede una grossa macchina.
   Possiede un ....

6. Ha preso un piccolo pezzo di torta.
   Ha preso un .... di torta.

7. Chi leggerà questo grosso libro?
   Chi leggerà questo ....?

8. Ho passato una magnifica settimana sulle rive di un grazioso lago.
   Ho passato una magnifica settimana sulle rive di un ....

14 **Completate con le parole date alla rinfusa.**

libretto   giornataccia   ragazzone   valigione
camicetta   piattone   vocina   casetta

1. Ha una .... così debole che non riesco a sentire mai quello che dice.
2. Ho perso il .... degli assegni. O forse me l'hanno rubato?!
3. Ho incontrato Gino, te lo ricordi? Beh, è diventato un .... di due metri!
4. Per portare tutta questa roba abbiamo bisogno di un ....
5. Oggi non me ne va bene una, è proprio una ....
6. Bella questa .... di seta, dove l'hai comprata?
7. Come vorrei avere una .... vicino al mare!
8. Avevo una fame da lupi e mi sono fatto un .... di spaghetti alla carbonara.

15 I seguenti nomi sono stati alterati: segnate con una *X* la categoria di appartenenza.

	diminutivo	*accrescitivo*	*peggiorativo*
1. *barcaccia*	☐	☐	☐
2. *pacchetto*	☐	☐	☐
3. *lucina*	☐	☐	☐
4. *nottataccia*	☐	☐	☐
5. *scarpetta*	☐	☐	☐
6. *palazzone*	☐	☐	☐
7. *cartellino*	☐	☐	☐
8. *donnaccia*	☐	☐	☐

16 Sottolineate nei 6 gruppi di parole quella che non è un nome alterato.

1. mammina   stradina   regina   gattina

2. uccellino   bambino   ragazzino   vestitino

3. ragazzone   azione   macchinone   tavolone

4. manina   magazzino   quadernino   tavolino

5. giardino   orologino   sorrisino   dentino

6. cassetto   casetta   libretto   foglietto

17 Completate con le preposizioni.

Avevo rivisto Nicola ed eravamo tornati (1)............... frequentarci: mi piaceva, aveva delle belle idee, mi parlava (2)............... parità di diritti (3)............... uomini e donne, era dolce, mi riempiva (4)............... affetto e (5)............... attenzioni, e io cominciavo (6)............... considerarlo il mio Principe Azzurro, quello che non avevo mai cercato né sognato.
Poi i miei genitori si ricordarono (7)............... avere una figlia e decisero (8)............... venirmi a riprendere, (9)............... salvare quell'onore che questi giorni a casa di Angelina avevano messo (10)............... rischio.

tratto dal romanzo *Volevo i pantaloni* di Lara Cardella

18 Ascolto

Ascoltate il brano, tratto dal libro *Va' dove ti porta il cuore* di Susanna Tamaro, e indicate l'affermazione giusta tra quelle proposte.

1. Alla protagonista, tra l'altro, piaceva di Ernesto
   a. il suo modo di concepire il mondo
   b. il fatto che non credesse in Dio
   c. il suo passato da eroe

2. Era molto importante che lei ed Ernesto
   a. potessero comunicare in modo incredibile
   b. amassero le stesse cose
   c. fossero tutti e due liberi

3. Secondo Ernesto, gli uomini
   a. hanno molte possibilità di trovare la persona che cercano veramente
   b. sono destinati a rimanere soli per tutta la vita
   c. devono spesso accontentarsi di relazioni poco profonde

TEST FINALE

A Scegliete la risposta corretta.

1. - Hai sentito le ultime su Stefano? È un ragazzo veramente (1).............................!
   - Eh sì! (2)............................ sin da bambino non mi meraviglio della sua brillante carriera.

   (1) a) promesso   (2) a) Conosciutolo
        b) promettendo   b) Conoscendolo
        c) promettente   c) Essendo conosciuto

2. (1)............................ anche l'angolo Internet, la libreria (2)............................ nel nostro quartiere è piaciuta in modo particolare ai giovani.

   (1) a) Aver avuto   (2) a) aperta
        b) Avendo   b) aprendo
        c) Avente   c) aprente

1° Test di progresso

A   Leggete il testo e indicate le affermazioni corrette.

Ho coltivato a lungo in me l'idea di poter lavorare, un giorno, a sceneggiature per il cinema. [...] Ora ho perso la speranza di lavorare mai a sceneggiature. Lui ha lavorato a sceneggiature, un tempo, quand'era più giovane. Ha lavorato lui pure in una casa editrice. Ha scritto racconti. Ha fatto tutte le cose che ho fatto io, più molte altre. Rifà il verso alla gente, e soprattutto a una vecchia contessa. Forse riusciva a fare anche l'attore.

Una volta, a Londra, ha cantato in un teatro. Era Giobbe. Aveva dovuto noleggiare un frac; ed era là, in frac, davanti a una specie di leggìo; e cantava. Cantava le parole di Giobbe. [...]

È stato un grande successo, e gli hanno detto che era molto bravo. Se io avessi amato la musica, l'avrei amata con passione. Invece non la capisco. [...]

Mi piace cantare. Non so cantare, e sono stonatissima; canto tuttavia, qualche volta pianissimo, quando son sola. Che sono così stonata, lo so perché me l'hanno detto gli altri; dev'essere, la mia voce, come il miagolare d'un gatto. Ma io, da me, non m'accorgo di nulla; e provo, nel cantare, un vivo piacere. [...]

Di non capire la pittura, le arti figurative, non me ne importa; ma soffro di non amare la musica. [...] Se a volte sento una musica che mi piace, non so ricordarla; e allora come potrei amare una cosa, che non so ricordare? [...]

Tutto il giorno si sente musica, in casa nostra. Lui tiene tutto il giorno la radio accesa. O fa andare dei dischi. Io protesto, ogni tanto, chiedo un po' di silenzio per poter lavorare; ma lui dice che una musica tanto bella è certo salubre per ogni lavoro.

adattato da *Lui e io, Le piccole virtù* di Natalia Ginzburg

1. La narratrice, da giovane, non ha lavorato come sceneggiatrice. ☐
2. L'uomo di cui si parla si chiama Giobbe. ☐
3. L'uomo ha fatto anche l'attore. ☐
4. La narratrice ha con sé, in casa, un gatto. ☐
5. Alla narratrice sarebbe piaciuto saper amare la musica. ☐
6. A casa dei protagonisti si ascoltano soltanto dischi. ☐

B   Leggete il testo e rispondete alla domanda.

Sono fidanzata da 4 anni con un ragazzo molto simpatico e tenero, che però negli ultimi tempi si sta dimostrando geloso oltre misura. Ha avuto delle vere e proprie crisi che mi hanno sconvolta e terrorizzata; ha cominciato a bere in modo eccessivo a minacciarmi anche fisicamente. Quando torno dall'università mi fa il terzo grado, e la mia vita è piena di divieti: non posso rimanere a dormire dalle mie amiche, non gli va se mi taglio i capelli. Non so cosa fare, questa situazione mi pesa; se si avvicina qualcuno che io conosco e lui no, temo che reagisca male. Sono attaccata a lui, ma nello stesso tempo comincio ad avere paura. Se si comporta così adesso che siamo fidanzati, come si comporterà quando saremo sposati?

tratto da *Grazia*

Quali problemi si trova ad affrontare l'autrice di questa lettera?
(Da un minimo di 15 ad un massimo di 25 parole)

....

....

....

....

C   Collegate le frasi con le opportune forme di collegamento. Se necessario, eliminate o sostituite alcune parole. Trasformate, dove necessario, i verbi nel modo e nel tempo opportuni.

1. - mi hanno finalmente portato il computer
   - avevo pagato il computer in contanti
   - hanno tardato parecchio

....

....

2. - avevo la febbre
   - ho continuato a lavorare
   - dovevo consegnare il lavoro in giornata

....

....

3. - quando ero all'Università abitavo in una pensione
   - nella pensione erano ospitati tanti stranieri

....

....

4. - Alberto vuole andare in vacanza
   - Alberto non ha soldi sufficienti per andare in vacanza
   - Alberto decide di lavorare per un mese

....

....

5. - non siamo sicuri di partire per Parigi
   - ho prenotato una suite costosissima
   - tutte le camere sono prenotate

....

....

3° Test di progresso

A Leggete il testo e indicate le affermazioni corrette.

Pericoli del web

L'oceano sconfinato e incontrollabile di Internet e la curiosità dei ragazzini. Queste due componenti mettono a rischio i minori, lasciati spesso soli con il loro pc. Sono oltre 25 milioni le pagine classificate come dannose su Internet, dove il pericolo è suddiviso in 40 categorie diverse e sono a rischio soprattutto i bambini, il 13% dei quali, chattando, è stato contattato da un pedofilo. Una situazione allarmante che deve essere al più presto messa sotto controllo e in qualche modo regolamentata.

Sono questi i dati presentati a Milano in una tavola rotonda organizzata dall'*Osservatorio dei minori* di Antonio Marziale, alla presenza di esperti di informatica, criminologi e psicoterapeuti. Anche se la mente va immediatamente alla piaga della pedofilia, si deve riflettere sul fatto che i pericoli del web sono vari. Tutto ciò fa spaventare i grandi ma rappresenta una reale minaccia soprattutto per i più giovani, abilissimi a navigare. Dall'incontro è emerso un dato certo: le tecnologie di prevenzione sono molto valide, ma per essere realmente efficaci i genitori devono prendere coscienza che tali strumenti da soli non sono sufficienti. Il 40% dei minori, secondo Roberto Puma, *country manager* di *Panda Software Italia*, passa ore collegato ad Internet, completamente da solo. E spesso gli adulti che stanno con loro, nonni, baby sitter sono completamente analfabeti da questo punto di vista.

La miglior soluzione rimane la navigazione in compagnia, unita a sistemi di *web filtering* facilmente gestibili e aggiornabili. Come afferma il Dr. Antonio Marziale, sociologo e Presidente dell'*Osservatorio sui Diritti dei Minori*, "Non c'è iniziativa legislativa che tenga se alla base non esiste la famiglia, che comunque deve essere messa in condizione di essere presente nella quotidianità dei più piccoli. Si diano incentivi economici alle mamme: in fondo è un mestiere."

Per far fronte ai pericoli del web, tutto il mondo dell'informatica sta studiando come proteggere i minori e impedire che Internet sia sommerso da un'enorme spazzatura. Al momento esistono in commercio validi strumenti di *web filtering* e sistemi sofisticati di monitoraggio che arrivano a controllare oltre 20 milioni di siti. Controllare la Rete e renderla sicura è praticamente impossibile, ma se a potenti tecnologie si affianca una legislazione *ad hoc* si potranno ottenere risultati davvero interessanti. Come sostiene il dottor Danilo Bruschi, presidente del Comitato Internet e Minori del Ministero delle Comunicazioni. Anche se l'unica contromisura oggi realmente efficace rimane una maggiore sorveglianza dei genitori.

tratto e adattato da *http://sociale.alice.it/estratti*

1. I pericoli della Rete riguardano soprattutto

       ❏ a. le pagine Internet senza protezione
       ❏ b. i bambini
       ❏ c. gli esperti d'informatica

2. Spesso gli adulti non possono aiutare i bambini con Internet perché

❏ a. non sanno come comportarsi
❏ b. non conoscono la lingua italiana
❏ c. non conoscono le nuove tecnologie

3. Dall'articolo, tra l'altro, emerge la necessità

❏ a. di avere maggiori regole per Internet
❏ b. che tutti i bambini debbano utilizzare Internet
❏ c. di usare Internet solo in particolari ore del giorno

B **Completate il testo. Inserite la parola mancante negli spazi numerati. Usate una sola parola.**

Firmino salì in camera sua. Fece una doccia, si rase, indossò un ....(1) di pantaloni di cotone e una Lacoste rossa che gli aveva ....(2) la sua fidanzata. Prese velocemente un caffè e uscì per strada. Era domenica, la città era quasi deserta. La gente dormiva ancora, e più tardi ....(3) andata al mare.
Gli venne voglia di andarci anche lui, anche se non aveva il costume ....(4) bagno, solo per prendere una boccata d'aria buona. Poi ci rinunciò. Aveva la sua guida con ....(5) e penso di andare alla scoperta della città, per esempio i mercati, le zone popolari che non ....(6). Scendendo per le viuzze ripide della città bassa cominciò a trovare un'animazione che non sospettava. Veramente Oporto manteneva delle tradizioni che Lisbona aveva ormai perduto...

tratto da *La testa perduta di Damasceno Monteiro* di Antonio Tabucchi

C **Leggete il testo e rispondete alla domanda.**

Mamma preferisce restare in città

Ogni anno si ripresenta il solito problema: le vacanze della mamma. Io e mia sorella siamo sposate e viviamo in città diverse dalla sua: lei benché anziana, se la cava ancora bene da sola, circondata da cani, gatti e fiori. Però l'afa la fa soffrire. E proprio a causa dei suoi "protetti" se la sorbisce tutta, perché non può allontanarsi da casa. Io e mia sorella avevamo trovato mille soluzioni, nessuna accettabile per lei. E così ci rimane solo il dispiacere di saperla morire di caldo.
Come calmare i nostri turbamenti?

Anna e Vittoria, Bologna

Perché volete crearvi un problema se la mamma è contenta così? Assecondatela, invece, e cercate di rendere la sua vita in città più confortevole.

tratto da *Oggi*

Questa è la risposta data dalla giornalista alle due sorelle: Come avreste risposto voi?
(Da un minimo di 15 ad un massimo di 25 parole)

....

....

....

....

D Abbinate le informazioni sottoelencate all'articolo corrispondente.

A

GEMELLI

Lei

-*amore:* Fine settimana turbato dalla Luna nei Pesci: è meglio evitare discussioni con il partner.

-*lavoro:* La buona notizia che aspetti potrebbe tardare ancora, ma arriverà di sicuro entro la fine del mese.

-*salute:* Forma al massimo.

Lui

-*amore:* La voglia di sentirti libero da qualsiasi impegno familiare non piacerà certo alla partner: pensaci prima di prendere decisioni affrettate.

-*lavoro:* Chi è del 10 giugno e dintorni raggiungerà un importante traguardo.

-*salute:* Almeno a tavola cerca di rilassarti.

B

CANCRO

Lei

-*amore:* Una nuova amicizia ti farà stare bene. E c'è chi farà una conquista.

-*lavoro:* Con Marte che arriva in Ariete dovrai sforzarti di essere più tollerante se vuoi che tutto vada bene.

-*salute:* Non accettare passaggi da chi alla guida non è molto attento.

Lui

-*amore:* Chi è di giugno si guardi dal pretendere troppo dalla partner.

-*lavoro:* La vita comoda piace molto ai nati del tuo segno, ma se vuoi il successo dovrai guadagnartelo.

-*salute:* Prudenza negli spostamenti domenica e lunedì.

tratti da Donna Moderna

1. È meglio partire nelle ore in cui c'è meno traffico.	A	B
2. Oggi mi sento in grandissima forma.	A	B
3. Questo problema lo discuterò con Vittorio un altro giorno.	A	B
4. Elsa, credo che tu piaccia veramente a quel ragazzo: ti guarda continuamente!	A	B
5. I risultati del concorso usciranno solo il 29. Speriamo bene...	A	B
6. No, io in macchina e con Gabriele al volante non viaggio.	A	B
7. Se vuoi un ambiente più sereno in ufficio, tratta meglio i tuoi dipendenti!	A	B
8. Non si fa carriera solo perché si conosce il presidente dell'azienda.	A	B

4° Test di progresso

A Abbinate le informazioni sottoelencate all'articolo corrispondente.

A

Luglio in Eurostar in compagnia di Cézanne

Firenze - Due convogli Eurostar da stamani in viaggio per portare la mostra Cézanne a Firenze in giro per l'Italia.

Si tratta dell'ultima grande iniziativa promozionale che l'Ente Cassa di Risparmio dedica alla fortunata esposizione che ha promosso e realizzato a Palazzo Strozzi. Inaugurata il 1 marzo, Cézanne a Firenze si avvia infatti verso la chiusura prevista per domenica 29.

I due Eurostar viaggeranno con l'immagine di Madame Cézanne, uno dei più celebri ritratti che il pittore fece alla moglie, per l'intero mese di luglio sulle linee che collegano le principali città della penisola, in particolare sulla tratta Milamo-Roma-Napoli.

Intanto la mostra naviga ormai a quota 230 mila visitatori. Anche i dati dell'ultima settimana confermano il tradizionale calo delle presenze con l'arrivo dell'estate, ma si tratta pur sempre di una media di oltre mille al giorno.

B

Firenze: esplode la Cézanne-mania

Firenze - Il panino alla Cézanne adesso esiste. Si ispira alla mostra di Palazzo Strozzi e se l'idea è tutta di A. Frassica, dinamico gestore di un locale in via dei Georgofili, il risultato è frutto di un'autentica consultazione popolare, grazie alla magia del web e alla passione di molti per la buona tavola, che celebra così la bella cézannemania di questi giorni. "Se il cibo è cultura", spiega Frassica, "perfino un panino, nel suo piccolo, può aspirare a essere un'opera d'arte".

Anche al Wine Bar Frescobaldi, D. Magni ha arricchito il menù con un salmone alla Cézanne, privilegiando la dimensione del colore. Poteva mancare il Cocktail Cézanne? È alla frutta, coloratissimo e lo firma T. Zanobini. Nel ristorante Convivium di Borgo S. Spirito, il capo chef P. Biancalani ha consultato uno storico dell'arte per ricordare Cézanne con una serie di ricette mediterranee su misura (A tavola con l'Impressionismo). Nulla è lasciato al caso, neppure l'obbligo della prenotazione.

adattati da www.nove.firenze.it

1. Anche un piatto può essere un'opera d'arte.   A   B
2. C'è bisogno della prenotazione obbligatoria.   A   B
3. In molti hanno contribuito alla realizzazione.   A   B
4. È bello guardare un'opera d'arte comodamente seduti.   A   B
5. In estate andremo a Napoli.   A   B
6. A tanti piacciono i colori di Cézanne.   A   B

B Leggete il testo e rispondete alla domanda.

È curioso: quando arriva una novità che riguarda i giovani nove volte su dieci viene presentata all'opinione pubblica in maniera frettolosa e poco chiara. E nove volte su dieci davanti a un argomento esposto in modo frettoloso e poco chiaro la stessa opinione pubblica si divide subito in due schiere: da una parte con un drastico sì al cambiamento, da un'altra parte con un ancora più drastico no. Così è avvenuto anche per la patente a sedici anni. Per qualche giorno si è discusso sui giornali e in televisione intorno a questa proposta, ed ecco subito schiere di genitori preoccupatissimi per l'eventualità di affidare a ragazzini irrequieti la guida di bolidi a quattro ruote.

Trovate giuste le osservazioni fatte dallo scrittore sui giovani e sull'opinione pubblica?
(da un minimo di 15 ad un massimo di 25 parole)

....

....

....

....

C Completate il testo. Inserite la parola mancante negli spazi numerati. Usate una sola parola.

Agostino orfano di padre, si trova in ....(1) al mare con la madre ancora giovane e ....(2), con la quale ha un rapporto di ....(3) perfetto e senza ombre. Ad un certo ....(4) si sente però rifiutato dalla ....(5) corteggiata da un bagnante, e si allontana. Incontra un ....(6) di ragazzi rozzi e violenti, figli di pescatori, dai quali Agostino si sente nello ....(7) tempo attratto e respinto.
Nel corso di pochi giorni Agostino esce dall'infanzia e attraverso le dure ....(8) a cui lo sottopongono i nuovi ....(9) acquista consapevolezza ....(10) realtà di un mondo squallido e crudele.

Agostino di Moravia, tratto da *Leggere letteratura*

D Collegate le frasi con le opportune forme di collegamento. Se necessario, eliminate o sostituite alcune parole. Trasformate, dove necessario, i verbi nel modo e nel tempo opportuni.

1. - Sono andato a cenare in un ristorante
   - non andavo in questo ristorante da tempo
   - nel ristorante ho trovato alcuni amici
   - con questi amici ho passato una bellissima serata

   ....

   ....

2. - Avevo un appuntamento con Roberto
   - Roberto non è venuto
   - Roberto mi ha telefonato e mi ha chiesto scusa

   ....

   ....

3. - Penso di scrivere una lettera a Luisa
   - scrivere mi è difficile e ci vuole tempo
   - telefonerò a Luisa

   ....

   ....

4. - Ho seguito un corso di Storia della musica
   - ho trovato molto interessante questo corso
   - la professoressa era veramente molto preparata

   ....

   ....

5 - Lucio ha comprato una nuova moto
   - Lucio preferisce guidare sempre la sua vecchia 500
   - la vecchia 500 di Lucio sta cadendo a pezzi
   - la vecchia 500 di Lucio può essere pericolosa

   ....

   ....

6. - Devi seguire i consigli di tua madre
   - tua madre ti consiglia per il tuo bene
   - i consigli di tua madre, a volte, richiedono sacrifici

   ....

   ....

edizioni Edilingua

Nuovo Progetto italiano 1 T. Marin - S. Magnelli
Corso multimediale di lingua e civiltà italiana
Livello elementare

Nuovo Progetto italiano 2 T. Marin - S. Magnelli
Corso multimediale di lingua e civiltà italiana
Livello intermedio

Progetto italiano 3 T. Marin - S. Magnelli
Corso di lingua e civiltà italiana
Livello medio - avanzato

Allegro 1 L. Toffolo - N. Nuti
Corso multimediale d'italiano. Livello elementare

That's Allegro 1 L. Toffolo - N. Nuti
An Italian course for English speakers
Elementary level

Allegro 1 A. Mandelli - N. Nuti
Esercizi supplementari e test di autocontrollo
Livello elementare

Allegro 2 L. Toffolo - M. G. Tommasini
Corso multimediale d'italiano
Livello preintermedio

Allegro 3 L. Toffolo - R. Merklinghaus
Corso multimediale d'italiano. Livello intermedio

La Prova orale 1 T. Marin
Manuale di conversazione. Livello elementare

La Prova orale 2 T. Marin
Manuale di conversazione
Livello intermedio - avanzato

Video italiano 1 A. Cepollaro
Videocorso italiano per stranieri
Livello elementare - preintermedio

Video italiano 2 A. Cepollaro
Videocorso italiano per stranieri. Livello medio

Video italiano 3 A. Cepollaro
Videocorso italiano per stranieri. Livello superiore

Vocabolario Visuale T. Marin
Livello elementare - preintermedio

Vocabolario Visuale - Quaderno degli esercizi
T. Marin
Attività sul lessico
Livello elementare - preintermedio

Al circo! B. Beutelspacher
Italiano per bambini. Livello elementare

Sapore d'Italia M. Zurula
Antologia di testi. Livello medio

Scriviamo! A. Moni
Attività per lo sviluppo dell'abilità di scrittura
Livello elementare - intermedio

Diploma di lingua italiana
A. Moni - M. A. Rapacciuolo
Preparazione alle prove d'esame

Primo Ascolto T. Marin
Materiale per lo sviluppo della comprensione orale
Livello elementare

Ascolto Medio T. Marin
Materiale per lo sviluppo della comprensione orale
Livello medio

Ascolto Avanzato T. Marin
Materiale per lo sviluppo della comprensione orale
Livello superiore

l'Intermedio in tasca T. Marin
Antologia di testi. Livello preintermedio

Una grammatica italiana per tutti 1
A. Latino - M. Muscolino
Livello elementare

Una grammatica italiana per tutti 2
A. Latino - M. Muscolino
Livello intermedio

Raccontare il Novecento
P. Brogini - A. Filippone - A. Muzzi
Percorsi didattici nella letteratura italiana
Livello intermedio - avanzato

Invito a teatro L. Alessio - A. Sgaglione
Testi teatrali per l'insegnamento dell'italiano
a stranieri. Livello intermedio - avanzato

Mosaico Italia M. De Biasio - P. Garofalo
Percorsi nella cultura e nella civiltà italiana
Livello intermedio - avanzato

Collana Raccontimmagini S. Servetti
Prime letture in italiano. Livello elementare

Collana Primiracconti M. Dominici
Letture graduate per stranieri. Livello elementare

Forte! 1 L. Maddii - M. C. Borgogni
Corso di lingua italiana per bambini (7-12 anni)
Livello elementare

Collana Formazione

italiano a stranieri (ILSA)
Rivista quadrimestrale per l'insegnamento
dell'italiano come lingua straniera/seconda